TEGO AUTORA:

Jak ćma do płomienia
Jak zostać obrzydliwie bogatym w rozwijającej się Azji...
Uznany za fundamentalistę

MOHSIN HAMID

DRZWI NA ZACHÓD

Z języka angielskiego przełożył
Witold Kurylak

WYDAWNICTWO
SONIA DRAGA

Tytuł oryginału: EXIT WEST

Projekt graficzny okładki: Rachel Willey
Wykonanie okładki: Monika Drobnik-Słocińska
Zdjęcie autora: © Jillian Edelstein

Redakcja: Grzegorz Krzymianowski
Korekta: Magdalena Bargłowska, Aleksandra Mól

TA PUBLIKACJA OTRZYMAŁA WSPARCIE
SHARJAH INTERNATIONAL BOOK FAIR TRANSLATION GRANT FUND.

منحة الترجمة
Translation Grant
صندوق منحة الشارقة للترجمة
Sharjah Translation Grant Fund

ISBN: 978-83-8110-312-1

WYDAWNICTWO SONIA DRAGA Sp. z o.o.
ul. Fitelberga 1, 40-588 Katowice
tel. 32 782 64 77, fax 32 253 77 28
e-mail: info@soniadraga.pl
www.soniadraga.pl
www.facebook.com/wydawnictwoSoniaDraga

Skład i łamanie: Wydawnictwo Sonia Draga

Katowice 2018. (N418)

Dla Naveda i Nasima

1.

W MIEŚCIE NABRZMIAŁYM UCHODŹCAMI, ale wciąż żyjącym przeważnie w pokoju albo przynajmniej jeszcze nieopanowanym otwarcie przez wojnę, pewien młody mężczyzna spotkał w sali lekcyjnej młodą kobietę i nie odezwał się do niej. I tak było przez wiele dni. On miał na imię Saeed, a ona Nadia, on miał brodę, nie tyle nawet brodę, co raczej zadbany kilkudniowy zarost, a ona zawsze chodziła ubrana, od stóp aż po zagłębienie w dolnej części szyi, w powłóczystą czarną burkę. W tamtych czasach mieszkańcy miasta wciąż cieszyli się luksusem noszenia się zgodnie z własnymi upodobaniami, pod względem ubrania i fryzury, w pewnych granicach oczywiście, więc tego typu decyzje miały swoje znaczenie.

Może zdawać się dziwne, że w miastach na krawędzi upadku młodzi ludzie wciąż uczęszczali na lekcje – w tym wypadku na zajęcia wieczorowe, gdzie uczono o tożsamości firmy i budowaniu marki produktu – ale tak to już jest, i z miastami, i z samym życiem, w jednej chwili krzątamy się jak zwykle wokół własnych spraw, a w następnej umieramy, a nasz stale i nieuchronnie zbliżający się kres ani na chwilę nie zatrzymuje tych przelotnych chwil początkowych i pośrednich aż do momentu, kiedy wreszcie to uczyni.

Saeed zauważył pieprzyk na szyi Nadii, złotawobrązowy owal, który czasami, z rzadka, lecz zauważalnie, poruszał się w rytm jej pulsu.

Już WKRÓTCE PO DOKONANIU tej obserwacji Saeed odezwał się do Nadii po raz pierwszy. W ich mieście dopiero miało dojść do poważnych walk, na razie zdarzały się zaledwie strzelaniny i wybuchy samochodów pułapek, odczuwalne w klatce piersiowej jak infradźwiękowe wibracje emitowane przez wielkie głośniki na koncertach, a Saeed i Nadia właśnie spakowali książki i wychodzili z klasy.

Odwrócił się do niej na schodach i powiedział:

– Może poszlibyśmy na kawę? – A nie chcąc, zważywszy na jej konserwatywny strój, żeby zabrzmiało to zbyt bezczelnie, dodał po krótkiej pauzie: – Do stołówki?

Nadia spojrzała mu w oczy.

– Nie modlisz się wieczorem? – zapytała.

Saeed przywołał na usta najbardziej ujmujący uśmiech.

– Niestety, nie zawsze.

Wyraz jej twarzy się nie zmienił.

Nie poddawał się, uparcie się uśmiechając z rosnącą desperacją alpinisty zaglądającego w oczy śmierci.

– Uważam, że to kwestia prywatna. Każdy z nas robi to tak, jak mu odpowiada. Albo… jak jej odpowiada. Nikt nie jest doskonały. A w moim przypadku…

Przerwała mu:

– Ja się nie modlę.

Wciąż bacznie się w niego wpatrywała.

I po chwili dodała:

– Może innym razem.

Patrzył za nią, gdy odchodziła na parking dla studentów, a tam, zamiast zakryć głowę czarnym materiałem, czego się spodziewał, założyła czarny kask motocyklowy, który był przypięty do odrapanego motocykla o pojemności jakichś stu centymetrów sześciennych, opuściła osłonę, dosiadła pojazdu i odjechała, znikając przy dźwiękach kontrolowanego dudnienia w zapadającym zmroku.

NAZAJUTRZ, W PRACY, SAEED uświadomił sobie, że nie potrafi przestać myśleć o Nadii. Saeed był zatrudniony w agencji specjalizującej się w udostępnianiu reklam zewnętrznych. Firma posiadała billboardy w całym mieście, podnajmowała też inne i zawierała umowy w sprawie kolejnych powierzchni reklamowych z takimi podmiotami, jak linie autobusowe, stadiony i właściciele wysokich budynków.

Agencja zajmowała obie kondygnacje zaadaptowanego do jej celów domu jednorodzinnego i zatrudniała kilkunastu pracowników. Saeed był jednym z najmłodszych, ale szef go lubił i zlecił mu dopracowanie oferty dla lokalnego producenta mydła, którą trzeba było wysłać e-mailem przed piątą. Zazwyczaj Saeed wyszukiwał w Internecie jak najwięcej informacji i następnie starał się odpowiednio dostosować prezentację do określonego klienta. Jego szef lubił powtarzać: „Bez odbiorcy nie ma opowieści", a dla Saeeda oznaczało to zaprezentowanie klientowi, że agencja rzeczywiście rozumie jego biznes, potrafi naprawdę postawić się w jego sytuacji i patrzeć na wszystko z jego punktu widzenia.

Ale dziś, chociaż przygotowanie oferty było ważne – każda oferta była ważna: gospodarka zwolniła w związku z narastającymi niepokojami, a reklama zewnętrzna należała do kosztów, które klienci najwyraźniej chcieli obcinać w pierwszej kolejności – Saeed nie potrafił się skoncentrować. Wielkie drzewo, nadmiernie rozrośnięte i nigdy nieprzycinane, pięło się z malutkiego trawnika za domem mieszczącym siedzibę firmy i zasłaniało światło słoneczne do tego stopnia, że z trawnika na tyłach budynku pozostała w zasadzie tylko szara ziemia i kilka kępek, pomiędzy którymi walały się rzucone tam rano – jako że szef zabronił palenia wewnątrz budynku – niedopałki papierosów; i właśnie na czubku tego drzewa Saeed dostrzegł jastrzębia wijącego gniazdo. Ptak pracował niestrudzenie. Czasami unosił się w powietrzu na poziomie wzroku Saeeda, niemal nieruchomy na wietrze, aby po chwili, prawie niezauważalnie ruszywszy skrzydłem albo lekko wygiąwszy ku górze pióra na czubku skrzydła, gwałtownie zmienić kierunek.

Saeed myślał o Nadii i obserwował jastrzębia.

Kiedy w końcu zorientował się, że zostało mu niewiele czasu, rzucił się do przygotowania oferty, kopiując i wklejając fragmenty z uprzednio opracowanych materiałów. Zaledwie kilka z wybranych przez niego ilustracji miało jakikolwiek związek z mydłem. Zaniósł wstępną wersję do szefa i podsunął mu ją, starając się nie krzywić.

Szef wyglądał jednak na zajętego i nic nie zauważył. Naniósł jedynie kilka drobnych poprawek na wydruku i zwracając go Saeedowi ze smętnym uśmiechem, powiedział:

– Wyślij to.

Było coś takiego w wyrazie twarzy szefa, że Saeedowi zrobiło się go żal. Żałował, że bardziej nie przyłożył się do pracy.

W TEJ SAMEJ CHWILI, kiedy e-mail Saeeda był pobierany z serwera i odczytywany przez klienta, w dalekiej Australii, w Surry Hills, dzielnicy Sydney, pewna kobieta o bladej cerze spała samotnie. Jej mąż pojechał w delegację do Perth. Kobieta miała na sobie tylko długi mężowski T-shirt i obrączkę. Jej tułów i lewa noga przykryte były prześcieradłem jeszcze bledszym niż ona sama; prawa noga i prawe biodro leżały obnażone. Na prawej kostce, umieszczony w zagłębieniu ścięgna Achillesa, widniał niebieski tatuaż przedstawiający małego mitologicznego ptaszka.

Jej dom miał alarm, dzisiaj jednak system nie był włączony. Zainstalowali go poprzedni mieszkańcy, jacyś inni ludzie, którzy nazywali to miejsce domem, zanim zjawisko zwane gentryfikacją dzielnicy nie osiągnęło obecnego poziomu. Śpiąca kobieta sporadycznie korzystała z systemu alarmowego, zazwyczaj gdy męża nie było w domu, lecz akurat tej nocy zapomniała włączyć

11

alarm. Okno sypialni znajdowało się cztery metry nad ziemią i było minimalnie uchylone.

W szufladzie nocnego stolika znajdowało się na wpół opróżnione opakowanie pigułek antykoncepcyjnych, ostatnią z nich zażyła trzy miesiące temu, kiedy wraz z mężem jeszcze starali się uniknąć ciąży, a obok paszporty, książeczki czekowe, paragony, monety, klucze, kajdanki i kilka zawiniętych w papierki listków nieprzeżutej gumy do żucia.

Drzwi do szafy wnękowej stały otworem. Pokój skąpany był w świetle ładowarki komputerowej i bezprzewodowego rutera, ale drzwi szafy były ciemne, ciemniejsze niż otaczająca noc, prostokąt absolutnej ciemności – jądro ciemności. A z tej ciemności wyłaniał się mężczyzna.

On także był ciemny, miał ciemną skórę i ciemne, wełniste włosy. Wił się z wielkiego wysiłku, jego dłonie kurczowo trzymały obie strony drzwi, jakby podciągał się, walcząc z grawitacją czy też z siłą gigantycznego odpływu. Szyja podążała w ślad za głową, ścięgna napinały się, a potem wysunęła się klatka piersiowa, jego na wpół rozpięta przepocona szarobrązowa koszula. Nagle znieruchomiał w swoim trudzie. Rozejrzał się po pokoju. Popatrzył na śpiącą kobietę, zamknięte drzwi sypialni, otwarte okno. Zebrał się w sobie ponownie, z całych sił starając się wejść do pokoju, robiąc to jednak w rozpaczliwej ciszy, ciszy człowieka walczącego na ulicy, na ziemi, późną nocą, by wyzwolić się z dłoni zaciskających się mu na szyi. Ale na szyi mężczyzny nie było żadnych rąk. Zależało mu jedynie, żeby go nie usłyszano.

Jeszcze jedno pchnięcie i w końcu mu się udało, wydostał się i drżąc, osunął na podłogę, jak nowo narodzony źrebak. Leżał nieruchomo, zupełnie wyczerpany. Starał się nie dyszeć. Po chwili się podniósł.

Przewracał straszliwie oczami. Tak: straszliwie. Choć może nie aż tak straszliwie. Może tylko jego oczy spoglądały wokół, na kobietę, na łóżko, na pokój. Dorastając w nierzadko niebezpiecznych warunkach, zdawał sobie sprawę z kruchości własnego ciała. Był świadom, jak niewiele trzeba, żeby z człowieka został tylko kawał mięsa: fatalne uderzenie, fatalny wystrzał, fatalny szybki ruch ostrza, zwrot kierownicą samochodu, mikroorganizm podczas uścisku dłoni, kaszlnięcie. Zdawał sobie sprawę, że samotnie człowiek jest prawie niczym.

Śpiąca kobieta spała samotnie. A ten, który nad nią stał, stał samotnie. Drzwi sypialni były zamknięte. Okno otwarte. Wybrał okno. Momentalnie był po drugiej stronie i miękko opadł na biegnącą w dole ulicę.

GDY TO SIĘ działo w Australii, Saeed odbierał świeże pieczywo na kolację i zmierzał do domu. Był człowiekiem myślącym niezależnie, dorosłym, nieżonatym, z przyzwoitym stanowiskiem i porządnie wykształconym i podobnie jak większość myślących niezależnie, dorosłych, nieżonatych, z przyzwoitym stanowiskiem i porządnie wykształconych w tych czasach i w tym mieście mieszkał u rodziców.

Matka Saeeda miała władczy styl bycia nauczycielki, którą w przeszłości była, a ojciec zachowywał się jak nieco zagubiony uniwersytecki profesor, którym wciąż był – chociaż z obniżoną pensją, ponieważ już przekroczył oficjalny wiek emerytalny i musiał starać się o pracę na wydziałach przyjmujących wizytujących wykładowców. Rodzice Saeeda, już ponad połowę swego życia temu, zdecydowali się wybrać szacowne profesje w kraju, który miał raczej marnie skończyć przez swoich szacownych profesjonalistów. Bezpieczeństwa i pozycji należało szukać w zupełnie innych, zdecydowanie odmiennych zajęciach. Saeed przyszedł na świat w ich życiu późno, tak późno, że matka uznała za bezczelne pytanie lekarza, czy jej zdaniem mogła zajść w ciążę.

Ich małe mieszkanie znajdowało się w niegdyś eleganckim budynku, ze zdobioną, choć obecnie kruszącą się fasadą, która pochodziła z epoki kolonialnej, w niegdyś ekskluzywnej, a obecnie zatłoczonej i komercyjnej części miasta. Wydzielono je ściankami z dużo większego mieszkania i składało się z trzech pokoi: dwóch skromnych sypialni oraz trzeciego pomieszczenia, w którym przesiadywali, jedli kolacje, przyjmowali gości i oglądali telewizję. To trzecie pomieszczenie również było skromnych rozmiarów, ale miało wysokie okna i praktyczny, chociaż wąski balkon z widokiem na aleję i prosto na bulwar, aż do wyschniętej fontanny, która niegdyś tryskała wodą i skrzyła się w słońcu. Tego typu widok mógłby przydać wartości lokalowi w spokojniejszych, bardziej pomyślnych czasach, ale byłby zdecydowanie niepożądany w czasach konfliktu, kiedy obejmowałby przestrzeń znajdującą się bezpośrednio na linii ognia ciężkiego karabinu maszynowego i ostrzału rakietowego podczas natarcia myśliwców na tę część miasta: perspektywa niczym spojrzenie wprost w lufę karabinu. Lokalizacja, lokalizacja, lokalizacja, mawiają pośrednicy w handlu nieruchomościami. Geografia determinuje przeznaczenie, odpowiadają na to historycy. Wkrótce wojna miała zniszczyć fasadę ich budynku niczym erozja, jakby powodowała przyspieszenie upływu samego czasu – jednodniowy efekt działalności przewyższający dzieło całej dekady.

RODZICE SAEEDA POZNALI się, będąc w tym samym wieku co Saeed i Nadia, kiedy i im się to przydarzyło. Małżeństwo starszej pary było małżeństwem z miłości, związkiem osób sobie obcych, niezaaranżowane przez rodziny, co w ich sferach może nie było niespotykane, wciąż jednak niezbyt powszechne.

Spotkali się w kinie, podczas przerwy w projekcji filmu o zaradnej księżniczce. Matka Saeeda dostrzegła jego ojca palącego papierosa i uderzyło ją podobieństwo tego mężczyzny do aktora grającego w filmie główną rolę męską. To podobieństwo nie było zupełnie przypadkowe: chociaż nieco nieśmiały i w typie mola książkowego, ojciec Saeeda, podobnie jak i większość jego znajomych, nosił się w stylu ówczesnych gwiazd popularnych filmów i muzyków. Ale krótkowzroczność ojca Saeeda łączyła się z jego osobowością, co nadawało jego twarzy autentycznie marzycielski wyraz, a to, czemu trudno się dziwić, spowodowało z kolei, że matka Saeeda pomyślała, że on nie tylko wygląda jak ta postać, ale ją ucieleśnia. Postanowiła zbliżyć się do niego.

Stojąc przed ojcem Saeeda, kontynuowała z ożywieniem rozmowę z koleżanką, jednocześnie ignorując obiekt swego pożądania. A on ją zauważył. I słuchał, co ona mówi. Zebrał się na odwagę i odezwał do niej. I wówczas, jak oboje uwielbiali powtarzać w późniejszych latach, wspominając, jak się poznali, zaiskrzyło.

Zarówno matka, jak i ojciec Saeeda lubili czytać i – w nieco odmienny sposób – dyskutować, więc w tych pierwszych dniach romansu można było ich często zobaczyć podczas ukradkowych spotkań w księgarniach. Później, kiedy już się pobrali, umilali sobie popołudnia, wspólnie czytając w kawiarniach i restauracjach albo, gdy pogoda na to pozwalała, w domu na balkonie. On palił, a ona, choć mówiła, że nie pali, często, kiedy popiół wydłużał się w nieskończoność, wyjmowała pozornie zapomnianego przez niego papierosa spomiędzy mężowskich palców, delikatnie strząsała o popielniczkę i zaciągała się przeciągle, a nawet trochę łobuzersko, po czym z gracją oddawała go ojcu Saeeda.

Kiedy ich syn poznał Nadię, kina, w którym poznali się rodzice Saeeda, już od dawna nie było, podobnie jak ich ulubionych księgarń i większości ich ulubionych restauracji i kafeterii. Kina i księgarnie, restauracje i kafeterie nie zniknęły, co prawda, z miasta, tylko że większość tych, które kiedyś funkcjonowały, już nie funkcjonowała. W miejscu kina, które z takim sentymentem pamiętali, powstał pasaż handlowy z komputerami i inną elektroniką. Mieszczący go budynek przejął nazwę kina: oba miały kiedyś jednego właściciela, a kino było tak znane, że stało się symbolem tej okolicy. Przechodząc obok pasażu i widząc dawną nazwę na nowym neonie, czasami ojciec Saeeda, a czasami matka Saeeda, przypominali sobie i się uśmiechali. Albo przypominali sobie i się zatrzymywali.

RODZICE SAEEDA NIE spali ze sobą aż do nocy poślubnej. Z ich dwojga bardziej przeszkadzało to matce Saeeda, a ponieważ to ona była bardziej ochocza, kiedy już do tego doszło, nalegała, żeby powtórzyć to jeszcze dwa razy przed świtem. Przez wiele lat właśnie tak wyglądała harmonia ich małżeństwa. Ogólnie rzecz biorąc, ona była nienasycona w łóżku. Ogólnie rzecz biorąc, on był usłużny. Być może dlatego, że aż do poczęcia Saeeda dwie dekady później nie zaszła w ciążę i w związku z tym zakładała, że w nią nie zajdzie, mogła kochać się zapamiętale, to znaczy, nie myśląc o konsekwencjach czy o niepożądanych zmianach związanych z wychowywaniem dziecka. Tymczasem on przez całą pierwszą połowę małżeństwa przeważnie reagował na jej usilne zaloty jak mężczyzna mile zaskoczony. Ona uważała, że wąsy i oddawanie mu się od tyłu są erotyczne. On uważał ją za zmysłową i inspirującą.

Po narodzinach Saeeda częstotliwość, z jaką rodzice się kochali, znacznie spadła i w miarę upływu czasu dalej spadała. Macica zaczęła wypadać, trudniej było utrzymać erekcję. Na tym etapie to ojcu Saeeda powierzano – czy też coraz częściej sam ją przyjmował – rolę tego, kto stara się zainicjować seks. Matka Saeeda czasami zastanawiała się, czy robił to z autentycznego pożądania, z przyzwyczajenia czy też po prostu z potrzeby bliskości. Starała się reagować, na ile tylko potrafiła. Ostatecznie równie często miał spotykać się z odmową własnego, jak i jej ciała.

W ostatnim roku ich wspólnego życia, którego spora część już upłynęła, kiedy Saeed poznał Nadię, kochali się tylko trzy razy. W rok tyle razy, co w ich noc poślubną. Ale ojciec, zgodnie z życzeniem matki, nigdy nie zgolił wąsa. I nigdy też nie zmienili łóżka: wezgłowie, niczym słupki poręczy, wręcz prosiło się, żeby je chwycić.

W POMIESZCZENIU ZWANYM przez rodzinę Saeeda salonem znajdował się teleskop, czarny i lśniący. Podarował go ojcu Saeeda jego ojciec, a ojciec Saeeda przekazał go z kolei Saeedowi, ale skoro Saeed wciąż mieszkał w domu, teleskop nadal stał tam, gdzie zawsze, na trójnogu w kącie, pod misternym kliprem, żeglującym w szklanej butelce na oceanie trójkątnej półki.

Niebo nad ich miastem było już zbyt zanieczyszczone, żeby mogli zajmować się czymś takim, jak obserwowanie gwiazd. Ale w bezchmurne noce po deszczowym dniu ojciec Saeeda wyciągał czasami teleskop i rodzina sączyła zieloną herbatę na balkonie, ciesząc się lekkim wiatrem, i po kolei spoglądała na obiekty, których światło, w przeważającej większości, wyemitowane zostało, zanim ktokolwiek z tej trójki obserwatorów się narodził – światło z innych stuleci, dopiero teraz docierające do Ziemi. Ojciec Saeeda nazywał to podróżowaniem w czasie.

Ale pewnego wieczoru, było to akurat po tym, jak usiłował przygotować firmową ofertę dla firmy mydlarskiej, Saeed w roztargnieniu wodził wzrokiem wzdłuż trajektorii biegnącej poniżej linii horyzontu. W okularze teleskopu pojawiały się okna, ściany i dachy, czasami nieruchome, a czasami przemykające z niewiarygodną prędkością.

– Mam wrażenie, że on patrzy na młode damy – powiedział ojciec Saeeda do jego matki.

– Saeedzie, zachowuj się – odezwała się matka.

– No cóż, to twój syn.

– Ja nigdy nie potrzebowałam teleskopu.

– Zgadza się, ty wolałaś działać z bliska.

Saeed pokręcił głową i skierował teleskop w górę.

– Widzę Marsa – powiedział. I rzeczywiście tak było. Widział drugą najbliższą Ziemi planetę, z jej niewyraźną powierzchnią w kolorze zachodu słońca po burzy piaskowej.

Saeed wyprostował się i uniósłszy telefon, skierował obiektyw aparatu fotograficznego w stronę nieba, przeglądając aplikację, która wskazywała nazwy nieznanych mu ciał niebieskich. Pokazywany przez nią obraz Marsa również był bardziej szczegółowy, chociaż był to oczywiście Mars z przeszłości, dawny Mars, umieszczony w pamięci przez twórcę aplikacji.

Rodzina Saeeda usłyszała w oddali dźwięk strzelaniny z broni maszynowej, beznamiętne trzaski, które choć nie były głośne, wyraźnie do nich docierały. Posiedzieli jeszcze trochę. Na koniec matka Saeeda zaproponowała, żeby wrócili do mieszkania.

KIEDY SAEED I NADIA w końcu napili się razem kawy w kafeterii, co zdarzyło się w następnym tygodniu, zaraz po następnych zajęciach ich klasy, Saeed zapytał o noszoną przez nią konserwatywną i praktycznie wszystko zakrywającą burkę.

– Jeśli się nie modlisz – powiedział, ściszając głos – dlaczego ją nosisz?

Siedzieli przy stoliku dla dwojga przy oknie wychodzącym na zakorkowaną ulicę w dole. Ich telefony spoczywały między nimi, ekranami w dół, jak broń rewolwerowców przy pertraktacjach.

Uśmiechnęła się. Wypiła łyczek kawy. I odezwała się zza przesłaniającej dolną połowę jej twarzy filiżanki.

– Żeby faceci się ode mnie odwalili.

2.

W DZIECIŃSTWIE ULUBIONYM SZKOLNYM przedmiotem Nadii
były zajęcia plastyczne, mimo że lekcje plastyki odbywały się
tylko raz w tygodniu, a ona sama bynajmniej nie uważała się za
szczególnie utalentowaną artystkę. Chodziła do szkoły, w której
nacisk kładziono na uczenie się na pamięć, do czego ona z natury szczególnie się nie nadawała, więc mnóstwo czasu spędzała
na gryzmoleniu na marginesach podręczników i zeszytów, zgar-
biona, żeby ukryć przed okiem nauczycieli zakrętasy i miniatu-
rowe leśne wszechświaty. Jeśli ją na tym przyłapano, dostawała
burę, a czasami ktoś pacnął ją w tył głowy.

Na sztukę w domu Nadii składały się religijne wersety i fo-
tografie świętych miejsc, umieszczone w ramkach na ścianach.
Matka i siostra Nadii były cichymi kobietami, a jej ojciec starał
się być cichym mężczyzną, bo uważał to za cnotę; mimo to
łatwo wpadał we wściekłość i często mu się to zdarzało, kiedy
chodziło o Nadię. Złościło go i zarazem przerażało, że córka
stale kwestionuje zasady wiary i coraz częściej okazuje religii
brak należnego szacunku. W domu Nadii nie dochodziło do
przemocy fizycznej, wiele natomiast wpłacano na cele dobro-
czynne, ale gdy po ukończeniu studiów Nadia, ku śmiertelnemu

przerażeniu rodziny i ku swemu własnemu zaskoczeniu, bo wcale nie zamierzała tego powiedzieć, oznajmiła, że ona, kobieta niezamężna, wyprowadza się z domu, ich rozstanie pociągnęło za sobą wiele przykrych słów ze wszystkich stron, ze strony ojca, matki, a jeszcze więcej jej siostry, prawdopodobnie najwięcej zaś ze strony samej Nadii, słów tak mocnych, że od tego momentu zarówno Nadia, jak i jej rodzina uważali ją za kogoś, kto nie ma rodziny, czego wszyscy, cała czwórka, przez resztę życia żałowali, ale czego też nikt z nich nigdy nie próbował naprawić, częściowo przez upór, częściowo z zakłopotania, bo nie wiedzieli, jak się do tego zabrać, a częściowo ponieważ nieuchronnie nadciągający ostateczny upadek ich miasta miał nadejść, zanim uzmysłowili sobie, że stracili ostatnią szansę.

W tych pierwszych miesiącach życia jako kobieta samotna Nadia doświadczała chwilami plugawości i niebezpieczeństw równych temu, przed czym przestrzegała ją rodzina, a nawet gorszych. Miała jednak pracę w towarzystwie ubezpieczeniowym i była zdecydowana jakoś przetrwać – i tak też zrobiła. Wynajęła samodzielny pokój na górnym piętrze domu pewnej wdowy, miała też gramofon, mały zbiór płyt winylowych, krąg znajomych wśród miejskich wolnych duchów i dojście do dyskretnej i nieskłonnej do ferowania sądów pani ginekolog. Nauczyła się, jak dobierać strój, żeby ją chronił, jak najlepiej radzić sobie z agresywnymi mężczyznami i policjantami – oraz z agresywnymi mężczyznami będącymi policjantami – i zawsze zawierzać własnemu instynktowi w sytuacjach, których należy unikać albo z których należy natychmiast się ewakuować.

Ale kiedy siedziała przy biurku w towarzystwie ubezpieczeniowym, spędzając popołudnie na telefonicznym przedłużaniu
polis dla samochodów kierownictwa, i przez komunikator internetowy dotarło do niej pytanie Saeeda, czy nie zechciałaby
się z nim umówić, nadal tkwiła w tej samej przygarbionej pozie,
jak wówczas, gdy była uczennicą, i wciąż bazgrała, jak zawsze,
na marginesach leżących przed nią wydruków.

Spotkali się w wybranej przez Nadię chińskiej restauracji,
bo tego wieczoru nie mieli lekcji. Prowadząca lokal rodzina,
która przybyła do miasta po drugiej wojnie światowej i dobrze się miała przez trzy pokolenia, ostatnio go sprzedała
i wyemigrowała do Kanady. Ceny jednak nadal były roz-
sądne, a i jakość jedzenia wciąż na odpowiednim poziomie.
W przyciemnionej części jadalnej panowała atmosfera palarni
opium, co odróżniało to miejsce od innych chińskich restauracji w mieście. Lokal był specyficznie oświetlony czymś, co
przypominało papierowe latarnie ze świeczką w środku, choć
w rzeczywistości latarnie były plastikowe, a w ich wnętrzach
znajdowały się elektronicznie migające żarówki w kształcie
płomienia.

Nadia przyszła pierwsza i obserwowała Saeeda, kiedy
wchodził i szedł do jej stolika. W jego jasnych oczach można
było dostrzec, tak częste u niego, rozbawienie, bynajmniej nie
szydercze, ale jakby we wszystkim zauważał jakiś komizm, a to
z kolei ją bawiło i budziło jej sympatię. Powstrzymała się od

uśmiechu, wiedząc, że nie będzie musiała długo czekać na jego uśmiech, i rzeczywiście zrobił to, jeszcze zanim dotarł do stolika, a wówczas odwzajemniła mu się tym samym.

– Podoba mi się – odezwał się, wskazując otoczenie. – Takie trochę tajemnicze. Jakbyśmy mogli być gdziekolwiek. No, może nie gdziekolwiek, ale nie w tym miejscu.

– Byłeś kiedyś za granicą?

Pokręcił głową.

– Chciałbym.

– Ja też.

– Gdzie byś pojechała?

Przez chwilę mu się przyglądała.

– Na Kubę.

– Na Kubę! Dlaczego?

– Sama nie wiem. Kojarzy mi się z muzyką, ślicznymi starymi budynkami oraz morzem.

– Brzmi pięknie.

– A ty? Co byś wybrał? Jakieś jedno miejsce.

– Chile.

– Czyli oboje chcemy pojechać do Ameryki Łacińskiej.

Wyszczerzył zęby w uśmiechu.

– Pustynia Atakama. Powietrze jest tam tak suche, tak czyste, a ludzi tak mało, i prawie nie ma świateł. Można położyć się na plecach, patrzeć w górę i oglądać Drogę Mleczną. Wszystkie gwiazdy niczym plama mleka na niebie. I widać, jak powoli się ruszają. Bo Ziemia się porusza. I możesz się poczuć, jakbyś leżała na ogromnej piłce obracającej się w kosmosie.

Nadia obserwowała twarz Saeeda. W tym momencie tchnęła zachwytem, a on sam, mimo kilkudniowego zarostu, wyglądał jak chłopiec. Sprawiał na niej wrażenie człowieka dosyć osobliwego. Osobliwego i atrakcyjnego.

Podszedł kelner, żeby odebrać zamówienie. Ani Nadia, ani Saeed nie wybrali napoju orzeźwiającego, decydując się na herbatę i wodę, a kiedy podano jedzenie, żadne nie używało pałeczek, oboje, przynajmniej wówczas, gdy ktoś na nich patrzył, czuli się pewniej, posługując się widelcem. Mimo początkowej niezręczności czy też raczej skrywanej nieśmiałości dosyć łatwo im się ze sobą rozmawiało, co zawsze przynosi pewną ulgę na pierwszej prawdziwej randce. Mówili cicho, starając się nie ściągać na siebie uwagi siedzących w pobliżu gości. Posiłek skończył się za wcześnie.

Później czekał ich problem, z którym musieli zmierzyć się w tym mieście wszyscy młodzi, chcący dłużej ze sobą pobyć po określonej godzinie. Za dnia były parki, kampusy, restauracje i kawiarnie. Ale wieczorem, po kolacji, jeśli żadne z nich nie dysponowało domem, w którym można było coś takiego bezpiecznie robić, albo nie miało samochodu, młodzi mieli do dyspozycji niewiele miejsc, by pobyć w nich na osobności. Rodzina Saeeda miała samochód, ale aktualnie był w naprawie, więc Saeed przyjechał na skuterze. A Nadia miała mieszkanie, ale z wielu względów trudno było przyjmować w nim mężczyznę.

A jednak postanowiła go zaprosić.

Saeed wyglądał na zaskoczonego i niezwykle podekscytowanego, kiedy zaproponowała, żeby do niej poszli.

– Do niczego nie dojdzie – wyjaśniła. – Chcę, żeby to było jasne. Kiedy mówię, żebyś przyszedł, nie znaczy to, że chcę, żebyś mnie dotykał.

– Nie. Oczywiście.

Teraz na twarzy Saeeda odmalował się wyraz osłupienia. Ale Nadia skinęła głową. I chociaż jej oczy były pełne ciepła, nie uśmiechnęła się.

Uchodźcy zajmowali wiele otwartych przestrzeni w mieście, rozbijali namioty na pasach zieleni między szosami, stawiali przybudówki przy murach ogradzających domy, spali wprost na chodnikach i na skraju ulic. Niektórzy nawet chyba próbowali odtwarzać rytm normalnego życia, jakby dla czteroosobowej rodziny było zupełnie naturalne, że mieszka pod plastikową płachtą podpartą gałęziami i kilkoma wyszczerbionymi cegłami. Inni obejmowali miasto spojrzeniem wyrażającym coś, co przypominało złość albo błaganie czy zawiść. Jeszcze inni w ogóle się nie ruszali: może byli zaszokowani, a może odpoczywali. Prawdopodobnie umierali. Saeed i Nadia musieli zachować szczególną ostrożność, skręcając na swoich pojazdach, żeby nie przejechać wyciągniętej ręki czy nogi.

Podczas tej ostrożnej jazdy motocyklem w stronę domu, z podążającym za nią na skuterze Saeedem, Nadia rzeczywiście kilka razy zastanawiała się, czy postąpiła słusznie. Nie zmieniła jednak zdania.

Po drodze napotkali dwa posterunki, na jednym stali policjanci, a na drugim, tym nowszym, żołnierze. Policjanci nie zwrócili na nich uwagi. Żołnierze zatrzymywali wszystkich. Kazali Nadii zdjąć kask; być może sądzili, że jest mężczyzną przebranym za kobietę, ale gdy dostrzegli, że jest inaczej, machnięciem ręki kazali jej jechać dalej.

Nadia wynajmowała górną kondygnację wąskiego budynku należącego do wdowy, której wszystkie dzieci i wnuki mieszkały za granicą. W przeszłości był to dom wolno stojący, ale został zbudowany tuż obok targu, który później rozrósł się obok i wokół niego. Wdowa zatrzymała sobie środkowe piętro, przerobiła parter na sklep i wynajęła sprzedawcy domowych systemów awaryjnego zasilania wykorzystujących akumulatory samochodowe, a najwyższe piętro udostępniła Nadii, której udało się rozwiać początkową podejrzliwość wdowy, oświadczając, że również jest wdową, a jej mąż, młody oficer piechoty, poległ w walce, co w rzeczywistości niewiele miało wspólnego z prawdą.

Kawalerka Nadii składała się z pokoju z wnęką kuchenną i łazienką tak małą, że nie dało się wziąć prysznica bez zlania wodą toalety. Ale z mieszkania wychodziło się na leżący na dachu taras, który wznosił się nad targiem i jeśli akurat nie wyłączono prądu, był skąpany w łagodnym i chybotliwym blasku wielkiego, ruchomego neonu, górującego w pobliżu na usługach bezkalorycznego gazowanego napoju.

Nadia poprosiła Saeeda, żeby zaczekał w pobliżu, w zaciemnionej alejce za rogiem, a sama otworzyła metalową kratę w drzwiach i samotnie weszła do domu. Kiedy już znalazła się na górze, rozłożyła narzutę na łóżku i wcisnęła brudne ubrania do szafy wnękowej. Napełniła małą torbę na zakupy, na moment się zatrzymała i po chwili wyrzuciła ją przez okno.

Torba głucho grzmotnęła obok Saeeda. Otworzył ją, znalazł w środku zapasowe klucze do drzwi na dole, a także jedną z czarnych burek Nadii, więc ukradkiem naciągnął ją na ubranie, zakrywając głowę kapturem, a następnie, idąc afektowanym krokiem, który skojarzył jej się z krokiem scenicznego złodzieja, zbliżył się do drzwi frontowych, otworzył je i minutę później pojawił się w jej mieszkaniu, a ona ruchem ręki wskazała mu, żeby usiadł.

Wybrała płytę, album z piosenkami śpiewanymi przez nieżyjącą od dawna kobietę, w przeszłości będącą ikoną gatunku, w jej amerykańskiej ojczyźnie zupełnie słusznie nazywanego soulem, muzyką duszy, i jej tak pełen życia, ale już nieżywy głos wyczarowywał z przeszłości trzecią istotę w pokoju, w którym w tym momencie przebywały tylko dwie osoby, i kiedy Nadia zapytała Saeeda, czy chce dżointa, na szczęście się zgodził i zaproponował, że sam go skręci.

W CZASIE KIEDY NADIA I SAEED po raz pierwszy wspólnie palili trawkę, w tokijskiej dzielnicy Shinjuku, gdzie północ zdążyła już nadejść i minąć, a zatem, formalnie rzecz biorąc, rozpoczął się już nowy dzień, młody mężczyzna powoli sączył drinka, za którego nie zapłacił, a jednak miał do niego prawo.

Jego whisky pochodziła z Irlandii, miejsca, w którym nigdy nie był, a mimo to darzył je pewną sympatią, być może dlatego, że Irlandia przypominała Sikoku w świecie równoległym, nie różniła się specjalnie kształtem i też była rzucona na ocean obok większej wyspy na jednym z krańców ogromnego kontynentu euroazjatyckiego, albo może z powodu irlandzkiego filmu gangsterskiego, który wielokrotnie chodził oglądać w swojej wciąż podatnej na wpływy młodości.

Mężczyzna ubrany był w garnitur oraz świeżo wyprasowaną białą koszulę, więc jeśli miał jakieś tatuaże na ramionach, nie dało się ich zobaczyć. Był krępy, ale kiedy już się podniósł, poruszał się z elegancją. Mimo wypitego drinka wzrok miał trzeźwy, beznamiętny, nie był to wzrok przyciągający spojrzenia innych. Wręcz przeciwnie, spojrzenia umykały przed jego wzrokiem, jak pośród sfory psów biegających na swobodzie, gdzie hierarchię ustala się na podstawie wyczuwalnego potencjału brutalnej siły.

Po wyjściu z baru mężczyzna zapalił papierosa. Ulica była jasna od podświetlonych reklam, ale względnie cicha. W bezpiecznej odległości minęła go dwójka pijanych typowych japońskich urzędników, a potem pracująca za darmo po godzinach panienka do towarzystwa z nocnego klubu, idąca szybko, ze wzrokiem wbitym w chodnik. Wiszące nisko nad Tokio chmury odbijały zmatowiałą czerwień, kierując ją z powrotem na miasto, ale wiał już lekki wiatr, mężczyzna czuł go na skórze i we włosach, co dawało wrażenie morskiej wody i lekkiego chłodu. Wstrzymał dym w płucach i powoli go wypuszczał. Dym znikał na wietrze.

Zaskoczył go hałas za plecami, ponieważ gdy wychodził, znajdująca się za nim alejka, a w zasadzie ślepy zaułek, była pusta. Sprawdził to, zanim się odwrócił, wychodząc, z przyzwyczajenia i dosyć szybko, ale nie niedbale. Teraz ujrzał tam dwie młode Filipinki, chyba nastolatki, nie miały pewnie jeszcze dwudziestu lat, obok prowadzących na tyły baru nieużywanych drzwi, drzwi, które zawsze były zamknięte, ale w tym momencie dziwnym trafem stały otworem, tworząc portal absolutnej czerni, jakby w środku nie było żadnego światła, jakby nie mogło tam przeniknąć światło. Dziewczyny były dziwnie ubrane, w za cienkie tropikalne stroje, o tej porze roku w Tokio z reguły nie widywało się w takich strojach ani Filipinek, ani nikogo innego. Jedna z nich przewróciła pustą butelkę po piwie, która potoczyła się z przenikliwym łoskotem, umykając gdzieś łukiem na bok.

Dziewczyny nie patrzyły na niego. Domyślał się, że nie wiedzą, co o nim sądzić. Mijając go, rozmawiały przyciszonymi głosami, ich słowa były niewyraźne, ale rozpoznał język tagalski. Wyglądały na przejęte: może podekscytowane, może przestraszone, a może i jedno, i drugie – w każdym razie, pomyślał mężczyzna, z kobietami nigdy nie wiadomo. Znajdowały się na jego terenie. Już nie pierwszy raz w tym tygodniu spotykał w tej części miasta grupę Filipińczyków, którzy wyglądali na osobliwie zdezorientowanych. Nie lubił Filipińczyków. Mieli swoje miejsce w społeczeństwie, ale też powinni znać swoje miejsce. Do jego klasy w gimnazjum chodził jeden pół--Filipińczyk, którego często maltretował, a raz nawet zrobił to tak poważnie, że wyrzuciliby go ze szkoły, gdyby tylko ktoś odważył się ujawnić sprawcę.

Patrzył na idące dziewczyny. I zastanawiał się.

Ruszył za nimi posuwistym krokiem, dotykając palcami znajdującego się w kieszeni metalu.

W BURZLIWYCH CZASACH ZAWSZE jest ta pierwsza osoba, znajomy czy serdeczny przyjaciel, która, stając się ofiarą, sprawia, że coś, co zdaje się złym snem, nagle okazuje się przytłaczająco rzeczywiste. Dla Nadii tą osobą był jej kuzyn, człowiek bardzo zdeterminowany i inteligentny, który już w młodości nigdy specjalnie nie lubił się bawić, śmiał się tylko z rzadka, zdobywał medale w szkole i postanowił zostać lekarzem; udało mu się wyemigrować z kraju, raz w roku wracał, żeby odwiedzić rodziców, i wraz z osiemdziesięcioma pięcioma innymi ludźmi został rozerwany na strzępy przez samochód pułapkę, dosłownie na strzępy, a największy, jaki został z kuzyna Nadii, składał się z głowy i dwóch trzecich jego ręki.

Nadia dowiedziała się o śmierci kuzyna na tyle późno, że nie mogła wziąć udziału w pogrzebie; nie odwiedziła też krewnych, bo choć im współczuła, nie chciała doprowadzać do nieprzyjemnej sytuacji. Zamierzała wybrać się samotnie na cmentarz, ale zadzwonił Saeed i przerywając jej milczenie, zapytał, co się stało, a ona mu to jakoś powiedziała, na co on zaproponował, że z nią pójdzie, nalegał, nie nalegając, co w dziwny sposób przyniosło jej ulgę. Poszli więc razem, bardzo wcześnie nazajutrz, i zobaczyli zaokrąglony, udekorowany girlandą kwiatów kopczyk świeżej ziemi usypany nad szczątkami jej kuzyna. Saeed stał i się modlił. Nadia nie odmówiła modlitwy, nie rozrzucała też płatków róży, tylko uklękła i położyła dłoń na kopczyku, jeszcze wilgotnym po niedawnej wizycie opiekującego się grobami człowieka z konewką, i długo nie otwierała oczu, przy akompaniamencie nadciągającego, a potem zanikającego dźwięku pasażerskiego odrzutowca schodzącego do lądowania na pobliskim lotnisku.

Zjedli śniadanie w kafeterii, kawę i pieczywo z masłem i dżemem, ona mówiła, choć nie o kuzynie, Saeed natomiast wyglądał na bardzo zaaferowanego, zadowolonego, że może tu być w ten niezwykły poranek, kiedy nie mówiła o sprawach najważniejszych, a ona czuła, jak to, co między nimi istniało, zmienia się, staje się bardziej trwałe, przynajmniej w pewnym sensie. Potem Nadia udała się do towarzystwa ubezpieczeniowego, w którym była zatrudniona, i do lunchu zajmowała się ubezpieczeniami flotowymi. Mówiła opanowanym i rzeczowym tonem. Rzadko zdarzało się, żeby dzwoniący, których sprawami się zajmowała, mówili coś niestosownego. Albo pytali ją o prywatny numer telefonu. Ale gdyby tak zrobili, nie podałaby im go.

W PRZESZŁOŚCI NADIA PRZEZ jakiś czas spotykała się z pewnym muzykiem. Poznali się na koncercie undergroundowym, bardziej przypominającym jam session, na którym jakieś pięćdziesiąt czy sześćdziesiąt osób wypełniło dźwiękoszczelną salę studia nagraniowego, z dnia na dzień coraz bardziej specjalizującego się w realizacjach dźwiękowych dla telewizji – zarówno ze względów bezpieczeństwa, jak i z powodu piractwa lokalny przemysł muzyczny znalazł się w dosyć trudnym położeniu. Ona założyła, co już wówczas było jej cechą charakterystyczną, czarną burkę, zaciągniętą wokół szyi, a on, co już wówczas było jego cechą charakterystyczną, miał na sobie o numer za mały T-shirt, opinający jego szczupłą klatkę piersiową i brzuch, ona go obserwowała, a on wokół niej krążył i jeszcze tego wieczoru poszli do niego, gdzie ona zrzuciła z siebie ciężar dziewictwa z pewnym zażenowaniem, ale bez robienia z tego wielkiej sprawy.

Rzadko rozmawiali przez telefon i spotykali się tylko sporadycznie, więc podejrzewała, że on ma wiele innych kobiet. Nie chciała o to dopytywać. Podobało jej się, jak on czuje się dobrze w swoim ciele i jak swawolnie traktuje jej ciało, a także rytmiczność muśnięć jego muzycznego dotyku, i jego piękno, zwierzęce piękno, oraz przyjemność, jaką w niej budził. Sądziła, że niewiele dla niego znaczy, pod tym względem jednak się myliła, bo muzyk był w niej poważnie zadurzony i w najmniejszym stopniu nie trzymał jej na dystans, jak jej się wydawało, ale duma, a także strach oraz klasa nie pozwalały mu prosić ją o nic więcej, niż sama mu ofiarowała. Wyrzucał to sobie później, ale nie za bardzo, mimo że po ich ostatnim spotkaniu nie potrafił przestać o niej myśleć, aż do swojej śmierci, która czekała go, chociaż żadne z nich o tym nie wiedziało, już za kilka krótkich miesięcy.

Nadia początkowo uważała, że nie ma potrzeby się żegnać, że z pożegnaniem wiąże się jakieś domniemanie, ale

33

kiedy ogarnął ją lekki smutek, zrozumiała, że tego potrzebuje, nie dla niego, bo wątpiła, że go to obchodzi, ale dla niej samej. A ponieważ niewiele mieli sobie do powiedzenia przez telefon, a komunikator internetowy wydawał się jej zanadto bezduszny, postanowiła powiedzieć to osobiście, na dworze, w jakimś miejscu publicznym, a nie w jego zabałaganionym, pachnącym piżmem mieszkaniu, gdzie miała mniejsze zaufanie do siebie, ale kiedy mu to powiedziała, zaprosił ją do siebie „na ten ostatni raz" i choć zamierzała odmówić, zgodziła się, a seks, na jakim się skończyło, był namiętnym seksem pożegnalnym, który, co nie było zaskoczeniem, okazał się zaskakująco udany.

Dużo później czasami zastanawiała się, co stało się z tym muzykiem, ale nigdy się tego nie dowiedziała.

Następnego dnia wieczorem śmigłowce wypełniły niebo niczym ptaki wystraszone wystrzałem czy też uderzeniem siekiery w podstawę ich drzewa. Wznosiły się, pojedynczo albo parami, i rozsypywały nad miastem wachlarzem na czerwieniejącym niebie, w miarę jak słońce zsuwało się za horyzont, a warkot ich śmigieł rozbrzmiewał echem przez okna i wzdłuż alei, wywołując wrażenie, jakby sprężały powietrze pod sobą, jakby każdy był umieszczony na szczycie niewidzialnej kolumny, niewidzialnego cylindra z nadającym się do oddychania powietrzem, te dziwne, wojownicze, ruchome rzeźby, niektóre smukłe, z dwuosobową załogą w układzie tandem, z pilotem i strzelcem na różnych wysokościach, a inne pękate, wypełnione załogą, wycinające niebiosa, torujące sobie przez nie drogę.

Saeed obserwował je z balkonu wraz z rodzicami. Nadia obserwowała je ze swojego dachu samotnie.

Pewien młody żołnierz spojrzał przez otwarte drzwi w dół na ich miasto, miasto niezbyt mu znajome, ponieważ dorastał na wsi, i zdumiało go, jakie jest wielkie, jak wspaniałe są jego wieże i jak bujna jest roślinność w parkach. Otaczający go łoskot był wręcz nieopisany, a gdy weszli w gwałtowny skręt, żołądek podszedł mu do gardła.

3.

W TYM OKRESIE NADIA I SAEED nie rozstawali się z telefonami. Telefony wyposażone były w anteny, a te anteny węszyły po całym niewidzialnym świecie, jakby za pomocą magii, świecie, który był wokół nich wszędzie, a jednocześnie nigdzie, przenosząc ich do miejsc odległych i bliskich, a także do miejsc, które nigdy nie istniały i nigdy istnieć nie będą. Przez dziesięciolecia po uzyskaniu niepodległości telefony stacjonarne pozostawały rzadkością w ich mieście, lista oczekujących na podłączenie była długa, a ekipy instalujące miedziane druty i dostarczające ciężkie słuchawki witano, wielbiono i przekupywano jak bohaterów. Ale obecnie w miejskim powietrzu kołysały się czarodziejskie różdżki, uwolnione z postronka i swobodne, miliony telefonów, a numer można było uzyskać w kilka minut, i to za marne grosze.

Saeed częściowo opierał się sile telefonu. Uważał, że antena jest zbyt mocna, a wzywana przez nią magia nazbyt hipnotyzująca, jakby uczestniczył w bankiecie z nieograniczoną ilością jedzenia i opychał się, obżerał, aż poczuł się od tego oszołomiony i zrobiło mu się niedobrze, więc usunął, ukrył albo wyłączył prawie wszystkie aplikacje. Jego telefon potrafił dzwonić. Jego telefon potrafił wysyłać wiadomości. Jego telefon potrafił robić zdjęcia, rozpoznawać ciała niebieskie, przekształcać miasto w mapę, kiedy Saeed prowadził samochód czy skuter. Ale to wszystko. Zazwyczaj. Wyjątkiem była jedna godzina każdego wieczoru, kiedy uaktywniał przeglądarkę w telefonie i znikał na bezdrożach Internetu. Ale ściśle przestrzegał tej godziny i kiedy się kończyła, włączał się alarm, łagodny dźwięk dzwonka poruszanego wiatrem, jakby docierający z targanej wichrami planety należącej do mieniącej się na niebiesko kapłanki z filmu science fiction, i elektronicznie blokował przeglądarkę, a Saeed nie używał jej aż do następnego dnia.

A jednak ten okrojony telefon, ten telefon w tak poważnym stopniu ogołocony ze swego potencjału, pozwalał mu docierać do samodzielnego życia Nadii, początkowo z wahaniem, a później coraz częściej, o dowolnej porze dnia i nocy, pozwalał mu wkraczać w jej myśli, kiedy wycierała się po wzięciu prysznica, kiedy jadła samotnie lekką kolację, kiedy zatopiona w pracy siedziała przy biurku, kiedy po opróżnieniu pęcherza zostawała, półleżąc, na toalecie. Rozśmieszał ją, najpierw raz, a potem znowu i znowu, sprawiał, że skóra ją paliła, a jej oddech się skracał wraz z zadziwiającymi pierwszymi oznakami podniecenia, Saeed pojawiał się, choć go nie było, a ona robiła z nim mniej więcej to samo. Wkrótce ustalił się pewien rytm i później raczej nie zdarzało się, żeby nie kontaktowali się w ciągu dnia przez kilka godzin z rzędu, a oni w tych pierwszych dniach romansu uświadamiali sobie, że pożądają się coraz bardziej, że dotykają się, choć bez cielesnej bliskości, nie zaznając ukojenia. Zaczęli wchodzić w siebie nawzajem, ale jeszcze się nie pocałowali.

W przeciwieństwie do Saeeda Nadia nie widziała potrzeby ograniczania telefonu. Towarzyszył jej w długie wieczory, podobnie jak niezliczonej rzeszy młodych ludzi w mieście, którzy tak jak ona tkwili w domu, i wraz z nim podróżowała w świat w te samotne, spędzane w domu noce. Obserwowała spadające bomby, ćwiczące kobiety, kopulujących mężczyzn, gromadzące się chmury, fale muskające piasek, jak szorstkie liźnięcia wielu śmiertelnych, przemijających, zanikających języków, języków planety, której pewnego dnia nie będzie.

Nadia często zapuszczała się w świat mediów społecznościowych, ale nie pozostawiała tam po sobie zbyt widocznych śladów; sama niewiele tam umieszczała i korzystała ze zwodniczych nazw użytkownika i awatarów, sieciowych odpowiedników jej czarnej burki. To właśnie za pomocą mediów społecznościowych Nadia zamówiła halucynogenne grzybki, które wraz z Saeedem mieli jeść w noc ich pierwszego fizycznego zbliżenia, jako że w tych czasach grzybki halucynki wciąż jeszcze można było kupić, płacąc gotówką przy odbiorze dostarczającemu je w ich mieście kurierowi. Policja i agencje antynarkotykowe skupiały się na innych, bardziej powszechnych na rynku substancjach, a dla niczego niepodejrzewających osób wszystkie grzyby, czy to halucynogenne, czy pieczarki, wyglądały tak samo i zupełnie niewinnie, i właśnie ten fakt wykorzystywał pewien tutejszy noszący koński ogon mężczyzna w średnim wieku, którego dodatkową działalność stanowiły dostawy rzadkich składników szefom kuchni i smakoszom, a którego w cyberprzestrzeni poszukiwali i lubili głównie ludzie młodzi. Za kilka miesięcy ten gość z końskim ogonem straci głowę, zostanie odcięta od strony karku, nożem z ząbkami, żeby wzmóc ból, a jego bezgłowe ciało, powieszone za kostkę na słupie wysokiego napięcia, będzie kołysać się z nogami rozrzuconymi na boki, dopóki sznurówki, których jego egzekutorzy użyją zamiast sznura, nie przegniją i się nie zerwą, nikt wcześniej bowiem nie ośmieli się go odciąć.

Ale nawet w tym momencie ten beztroski wirtualny świat miasta jaskrawo kontrastował z codziennym życiem większości ludzi, z życiem młodych mężczyzn, a zwłaszcza młodych kobiet, przede wszystkim jednak dzieci, które szły spać nienakarmione, ale gdzieś na małym ekraniku widziały, jak ludzie w obcych krajach przygotowują jedzenie, konsumują je, a nawet obrzucają się nim podczas tak wystawnych przyjęć, że aż nie mieściły się w głowie.

W sieci można było spotkać seks, bezpieczeństwo, dostatek i przepych. W mieście, w przeddzień dostawy grzybków, na czerwonym świetle opustoszałego późną nocą skrzyżowania Nadia spotkała przysadzistego mężczyznę, który ją zagadnął, a kiedy go zignorowała, zaczął ją lżyć, mówiąc, że tylko kurwy jeżdżą motocyklami, czy ona nie wie, że to nieprzyzwoite, żeby kobieta siedziała okrakiem na motorze, czy kiedykolwiek widziała, żeby ktoś coś takiego robił, za kogo ona się uważa, przeklinał ją z taką zawziętością, że pomyślała, że może ją zaatakować, gdy niewzruszenie patrzyła na niego zza opuszczonej osłony oczu, z bijącym sercem, ale z zaciśniętymi na sprzęgle i gazie dłońmi, gotowymi zabrać ją stąd szybko, z pewnością szybciej, niż on mógłby podążyć za nią na swoim wyraźnie wysłużonym skuterze, aż w końcu mężczyzna pokręcił głową i odjechał, krzycząc coś, wydając jakby zduszony wrzask, dźwięk, który mógł wyrażać wściekłość, ale równie dobrze cierpienie.

GRZYBKI DOTARŁY DO biura Nadii nazajutrz z samego rana, kurier w uniformie nie miał najmniejszego pojęcia, co znajduje się w paczce, którą Nadia pokwitowała i za którą zapłaciła, wiedział jedynie, że była opisana jako żywność. Mniej więcej w tym samym czasie grupa bojowników zajmowała miejską giełdę. Nadia i jej koleżanki z pracy spędziły większą część dnia wpatrzone w telewizor obok stojącego na ich piętrze automatu z chłodzoną wodą, ale po południu było już po wszystkim, wojsko uznało, że ryzyko, na jakie wystawieni są zakładnicy, jest mniejsze niż ryzyko, na jakie narażone byłoby bezpieczeństwo narodowe, gdyby pozwolono trwać dalej temu nadmiernie medialnemu i osłabiającemu morale spektaklowi, więc przy użyciu maksymalnych sił przypuszczono szturm na budynek i dokonano eksterminacji bojowników, a początkowe, szacunkowe dane określiły prawdopodobną liczbę zabitych pracowników na nieprzekraczającą sto.

Przez cały ten czas Nadia i Saeed wysyłali do siebie wiadomości i początkowo sądzili, że będą musieli odwołać zaplanowaną na wieczór randkę, już drugi raz zaprosiła Saeeda do domu, ale gdy nie ogłoszono godziny policyjnej, co chyba wszystkich zaskoczyło – prawdopodobnie władze chciały dać sygnał, że sprawują pełną kontrolę nad sytuacją i nie jest to potrzebne – zarówno Nadia, jak i Saeed byli już tak niespokojni i tak łaknęli swojego towarzystwa, że postanowili nic nie zmieniać i mimo wszystko się spotkać.

Samochód rodziny Saeeda już naprawiono, więc przyjechał do Nadii autem zamiast na skuterze, czując się nieco mniej bezbronny w zamkniętym pojeździe. Kiedy jednak lawirował wśród pojazdów na drodze, porysował bocznym lusterkiem drzwi lśniącego luksusowego SUV-a, należącego do jakiegoś przemysłowca czy też innej grubej ryby pojazdu wartego więcej niż cały dom, więc Saeed był już przygotowany na wyzwiska, może nawet na pobicie, ale ochroniarz, który z karabinem szturmowym skierowanym w niebo wysiadł przez przednie drzwi po stronie pasażera SUV-a, ledwo zdążył obrzucić Saeeda spojrzeniem, spokojnym i srogim, kiedy został na powrót przywołany do wnętrza, a SUV bardzo szybko odjechał, najwyraźniej jego właściciel tego wieczoru nie życzył sobie na dłużej się zatrzymywać.

SAEED ZAPARKOWAŁ ZA ROGIEM budynku, w którym mieszkała Nadia, wysłał jej wiadomość, że przyjechał, poczekał na przytłumiony huk spadającej plastikowej torby, włożył znajdującą się wewnątrz burkę i pospiesznie wszedł do domu, a potem po schodach, podobnie jak to robił uprzednio, tylko że tym razem niósł też własne torby, torby z pieczonymi na grillu kurczakiem i jagnięciną oraz gorące, świeżutkie pieczywo. Nadia wzięła od niego jedzenie i włożyła je do piekarnika, żeby pozostało w cieple i nie ostygło – ale mimo tych środków zapobiegawczych ich kolacja miała być zimna, kiedy w końcu ją jedli, gdy już przeleżała zapomniana aż do świtu.

Nadia wyprowadziła Saeeda na taras. Ułożyła na posadzce długą poduszkę w poszewce tkanej jak dywanik, usiadła na niej wsparta plecami o balustradę i gestem zaprosiła Saeeda, żeby poszedł w jej ślady. Kiedy usiadł, poczuł na swoim udzie dotyk zewnętrznej części jej jędrnego uda, a ona poczuła dotknięcie zewnętrznej części jego uda, również jędrnego, na swoim.

Odezwała się:

– Nie zamierzasz tego ściągnąć?

Miała na myśli czarną burkę, którą wciąż miał na sobie i o której już zapomniał, a on spojrzał po sobie, po czym przeniósł wzrok na nią i uśmiechnąwszy się, odpowiedział:

– Ty pierwsza.

Wybuchnęła śmiechem.

– W takim razie równocześnie.

– Równocześnie.

Podnieśli się i stojąc naprzeciw siebie, zdjęli burki, oboje pod spodem ubrani w dżinsy i swetry, tego wieczoru bowiem powietrze było ostre, jego sweter był brązowy i luźny, a jej beżowy i opinał jej tułów niczym miękka druga skóra. Po dżentelmeńsku starał się nie pożerać wzrokiem całego jej ciała, patrzył jej w oczy, ale oczywiście, bo przecież wiemy, że to się często zdarza w takich okolicznościach, nie był pewien, czy mu się to udało, w końcu nie zawsze świadomie panujemy nad naszym spojrzeniem.

Kiedy ponownie usiedli, położyła zamkniętą rękę na jego udzie, palcami ku górze, i ją otworzyła.

– Używałeś kiedyś halucynogennych grzybków? – zapytała.

Rozmawiali po cichu pod chmurami, widząc głównie falowanie i kłębienie się rozświetlonej przez miasto szarości, tylko raz na jakiś czas ukazywała im się szczelina z księżycem lub ciemnością. Początkowo wszystko było zupełnie normalne i Saeed nawet zastanawiał się, czy ona przypadkiem sobie z niego nie żartuje albo czy nie oszukano jej i nie sprzedano lipnego towaru. Wkrótce doszedł do wniosku, że jakimś dziwnym kaprysem biologii czy psychologii był po prostu i niestety odporny na to – czymkolwiek to było – co te grzybki miały robić.

Dlatego też był zupełnie nieprzygotowany na uczucie podziwu, które nim owładnęło, na zdumienie, z jakim zaczął przyglądać się własnej skórze i cytrynowemu drzewku w glinianej grządce na tarasie Nadii, równemu mu wzrostem, zakorzenionemu w glebie, która z kolei była zakorzeniona w glinie donicy spoczywającej na cegłach tarasu, który przypominał wierzchołek góry tego budynku, a ten z kolei wyrastał z samej ziemi i z tej ziemnej góry pięło się drzewko cytrynowe, wysoko, wysoko, w geście tak pięknym, że Saeed poczuł się przepełniony miłością, przypomniał sobie też o rodzicach, do których nagle poczuł ogromną wdzięczność, a także pragnieniem pokoju, bo pokój powinien zstąpić na nich wszystkich, na każdego, na wszystko, bo jesteśmy tak delikatni i tak piękni, i z pewnością można by ugasić konflikty, gdyby tylko inni doświadczyli czegoś takiego, a potem przyjrzał się Nadii i zobaczył, że ona mu się przygląda, a jej oczy były jak dwa światy.

Nie chwycili się za ręce, dopóki, kilka godzin później, Saeedowi nie powróciła zdolność widzenia, nie normalnego, bo podejrzewał, że prawdopodobnie już nigdy nie będzie w taki sam sposób myśleć o normalności, ale do czegoś bliższego temu, co było, zanim zjedli te grzybki, a kiedy wzięli się za ręce, siedzieli naprzeciw siebie, z nadgarstkami spoczywającymi na kolanach, ich kolana niemal się dotykały, on się nachylił i ona również się nachyliła, uśmiechnęła i się pocałowali, nagle zdając sobie sprawę, że nastał świt, że już nie skrywają ich ciemności i mogą zostać dostrzeżeni z innego dachu, weszli więc do środka, zjedli zimne jedzenie, nie za wiele, ale trochę, a jedzenie miało bardzo wyrazisty smak.

Telefon Saeeda rozładował się, więc podłączył go w rodzinnym samochodzie do trzymanej w schowku przenośnej ładowarki i zaraz po włączeniu aparat zaczął popiskiwać i ćwierkać panicznym strachem jego rodziców, ich nieodebranymi połączeniami, ich wiadomościami, ich rosnącym przerażeniem, bo ich dziecko nie wróciło bezpiecznie do domu tej nocy, nocy, kiedy wiele dzieci wielu rodziców w ogóle nie wróciło.

Gdy Saeed pojawił się w domu, jego ojciec poszedł spać, a lustro przy jego łóżku ukazało nagle postarzałego mężczyznę, matka natomiast poczuła taką ulgę na widok syna, że nawet przeszło jej przez myśl, czy nie powinna go spoliczkować.

NADIA NIE CZUŁA SIĘ senna, więc wzięła prysznic, zimny, bo dostawy gazu do jej bojlera były nieregularne. Stała naga, jak ją Bóg stworzył, i po chwili włożyła dżinsy, koszulkę i sweter, jak to zwykle robiła, będąc sama w domu, następnie założyła burkę, gotowa oprzeć się żądaniom i oczekiwaniom świata, i wyszła przejść się po pobliskim parku, o tej porze już pustoszejącym po odejściu grup porannych ćpunów i gejowskich kochanków, którzy wcześniej wyszli z domu, by mieć więcej czasu, niż potrzebowali na załatwienie tego, co podobno mieli zamiar załatwić.

TEGO SAMEGO DNIA, kiedy zgodnie z czasem Nadii był wieczór i słońce schowało się za horyzont, w San Diego, w Kalifornii, w dzielnicy La Jolla, gdzie starszy mężczyzna mieszkał nad morzem, czy raczej na urwisku wznoszącym się nad Oceanem Spokojnym, był dopiero ranek. Instalacje w jego domu były bardzo zniszczone, ale skrupulatnie naprawione, podobnie jak jego ogród: rosły w nim jadłoszyny, drzewa anielskich trąb i sukulenty, pamiętające, co prawda, lepsze czasy, ale wciąż żywe i w większości niedotknięte przez zarazę.

Starszy mężczyzna służył w marynarce podczas jednej z większych wojen i żywił szacunek dla munduru oraz dla tych młodych ludzi, którzy otoczyli kołem jego posiadłość, podczas gdy on ich obserwował, stojąc na ulicy obok ich dowódcy. Przypominali mu o czasach, kiedy był w ich wieku, miał ich siłę i gibkość ruchów, ich przekonanie o słuszności tego, co robią, czuł więź łączącą ich między sobą, tę więź, o której on i jego koledzy mawiali, że jest braterska, choć w pewnym sensie była silniejsza niż braterska, a przynajmniej silniejsza niż więź łącząca go z jego własnym bratem, młodszym bratem, który ubiegłej wiosny zmarł na nowotwór gardła, tak wyniszczający, że na koniec brat ważył nie więcej niż dziewczynka, i który przez całe lata nie rozmawiał ze starszym mężczyzną, a kiedy starszy mężczyzna wybrał się odwiedzić go w szpitalu, brat nie był w stanie już mówić, mógł tylko patrzeć i chociaż w jego oczach dało się zauważyć wyczerpanie, niewiele było strachu w tych dzielnych oczach młodszego brata, którego starszy mężczyzna nigdy nie uważał za dzielnego.

Dowódca nie miał specjalnych względów dla starszego mężczyzny, ale ze względu na jego wiek i przebieg służby pozwolił mu pozostać w pobliżu, dopóki z uprzejmym skinieniem głowy nie powiedział, że najlepiej będzie, jeśli sobie pójdzie.

Starszy mężczyzna zapytał dowódcę, czy chodzi o przedostających się tu Meksykanów, czy może muzułmanów, ponieważ nie był pewny, na co dowódca odparł, że nie może tego powiedzieć, panie oficerze. Starszy mężczyzna stał zatem przez chwilę w milczeniu, za cichym przyzwoleniem dowódcy, podczas gdy zatrzymywano samochody i kierowano je na inne drogi, a bogaci sąsiedzi, którzy ostatnio kupili tu posiadłości, zasiadali przy frontowych oknach i przyglądali się temu, co się dzieje, aż w końcu starszy mężczyzna zapytał, w czym może pomóc. Starszy mężczyzna nagle poczuł się jak dziecko, zadając to pytanie. Młody dowódca mógłby być jego wnukiem.

Dowódca odpowiedział, że dadzą mu znać, panie oficerze. Dam ci znać – tak mówił do niego ojciec, kiedy starszy mężczyzna mu się naprzykrzał. I pod pewnymi względami ten dowódca rzeczywiście przypominał ojca starszego mężczyzny, w każdym razie bardziej jego ojca niż samego starszego mężczyznę, ojca z czasów, kiedy starszy mężczyzna był jeszcze chłopcem.

Dowódca zaproponował, że podwiozą gdzieś starszego mężczyznę, jeśli chce, na przykład do krewnych lub znajomych.

Był ciepły dzień na początku zimy, pogodny i słoneczny. Daleko w dole surferzy w piankach wypływali w morze. Nad oceanem, w oddali, jeden za drugim ustawiały się szare samoloty transportowe, podchodząc do lądowania w Coronado.

Starszy mężczyzna zastanawiał się, gdzie powinien się udać, i kiedy nad tym rozmyślał, zdał sobie sprawę, że nie przychodzi mu na myśl nawet jedno miejsce.

Po ATAKU NA GIEŁDĘ w mieście Saeeda i Nadii wyglądało na to, że bojownicy zmienili strategię i nabrali pewności siebie; zamiast detonować bombę tylko w jednym miejscu czy urządzać strzelaninę w innym, zaczęli zdobywać i utrzymywać tereny w całym mieście, czasami był to budynek, czasami cała dzielnica, zazwyczaj na kilka godzin, ale zdarzało się też, że na kilka dni. Tajemnicą pozostawało, jak to się dzieje, że tak szybko tak wielu z nich przybywa z bastionów na wzgórzach, ale miasto było ogromne, ciągnęło się we wszystkich kierunkach i nie dało się go odizolować od okolicznych wsi. A poza tym dobrze wiedziano, że bojownicy mają sympatyków w samym mieście.

Godzina policyjna, na którą czekali rodzice Saeeda, została najpierw ogłoszona, jak przewidywano, a potem wprowadzona z pełną gorliwością, wszędzie pojawiały się nie tylko posterunki z workami z piaskiem i druty kolczaste, ale także haubice, wozy bojowe piechoty i czołgi z wieżyczkami wyłożonymi przyczepionymi jak rzep prostokątnymi kostkami pancerza reaktywnego. W pierwszy piątek po wprowadzeniu godziny policyjnej Saeed poszedł z ojcem się pomodlić, Saeed modlił się o pokój, a ojciec Saeeda modlił się za Saeeda, prowadzący modlitwy natomiast w swoim kazaniu nakłaniał wiernych do modlitwy o to, żeby sprawiedliwi wyszli zwycięsko z wojny, starannie jednak wystrzegał się, żeby nie wskazać, po której stronie konfliktu jego zdaniem byli sprawiedliwi.

Wracając na kampus, podczas gdy jego syn jechał z powrotem do pracy, ojciec Saeeda pomyślał sobie, że chyba popełnił błąd w wyborze kariery, że inaczej powinien był pokierować swoim życiem, bo wówczas miałby pieniądze na wysłanie Saeeda za granicę. Być może zachował się jak egoista, ten jego pomysł, żeby pomagać młodym ludziom i krajowi przez nauczanie i badania naukowe, był jedynie wyrazem próżności, a dużo stosowniej byłoby za wszelką cenę dążyć do bogactwa.

Matka Saeeda modliła się w domu, ostatnio przywiązując dużą wagę do tego, żeby nie pominąć żadnej z modlitw, mimo że uparcie twierdziła, że nic się nie zmieniło, że miasto już wcześniej widziało podobne kryzysy, chociaż nie potrafiła powiedzieć kiedy, oraz że lokalna prasa i zagraniczne media wyolbrzymiały zagrożenie. A jednak nabawiła się bezsenności i dostała od znajomej farmaceutki, kobiety znanej jej z tego, że nie plotkuje, środek uspokajający, który miała potajemnie brać przed snem.

W firmie Saeeda tempo pracy było niespieszne, chociaż do biura przestało przychodzić trzech jego współpracowników i ci, którzy nadal się pojawiali, powinni mieć więcej do zrobienia. Rozmowy koncentrowały się głównie na teoriach spiskowych, aktualnym stanie walk i na tym, jak wynieść się z kraju – ponieważ uzyskanie wizy, od dawna graniczące z niemożliwością, obecnie dla niezamożnych było zupełnie niemożliwe, z kolei podróżowanie samolotami pasażerskimi i statkami nie wchodziło w rachubę, więc na okrągło rozważano i szczegółowo analizowano ewentualne zalety, czy też raczej zagrożenia, różnych tras lądowych.

W pracy Nadii wyglądało to bardzo podobnie, ale pojawił się jeszcze dodatkowy wątek, ponieważ podobno jej szef oraz szef jej szefa byli pośród tych, o których mówiono, że uciekli za granicę, obaj bowiem nie wrócili w terminie z wakacji. Ich biura za szklanymi ściankami działowymi na obu krańcach podłużnego pokładu, na dziobie i rufie – w jednym pomieszczeniu na wieszaku na kapelusze wisiał porzucony garnitur w pokrowcu – świeciły pustkami, choć w otwartej przestrzeni biurowej między nimi większość rzędów biurek była zajęta, wliczając w to biurko Nadii, przy którym widywano ją z telefonem przy uchu.

NADIA I SAEED ZACZĘLI spotykać się w ciągu dnia, zazwyczaj na obiad w tanim barze szybkiej obsługi, równo oddalonym od ich miejsc pracy, z głębokimi boksami z tyłu lokalu, które zapewniały nieco prywatności, i tam trzymali się za ręce pod stolikiem, czasami on głaskał wewnętrzną stronę jej uda, a ona kładła dłoń na zamku jego spodni, ale tylko na krótko, i rzadko, w tych przelotnych chwilach, kiedy mieli wrażenie, że ani kelnerzy, ani inni goście na nich nie patrzą, dręcząc się w ten sposób nawzajem, zabroniono bowiem podróżowania od zmierzchu do świtu, więc nie mogli być sami, jeśli Saeed nie decydował się zostać u niej na całą noc, co jej zdaniem warto było zrobić, on jednak mówił, że powinni z tym zaczekać, z jednej strony, bo nie wiedział, co powiedzieć rodzicom, a z drugiej, bo obawiał się zostawiać ich samych.

Kontaktowali się głównie przez telefon, czasami przesyłali jakąś wiadomość, czasami łącze do artykułu w Internecie, wymieniali zrobione sobie zdjęcia z pracy albo z domu, przy oknie, kiedy zachodziło słońce lub gdy wiał lekki wiatr albo na twarzy któregoś pojawiała się zabawna mina, która zaraz znikała.

Saeed był pewien, że się zakochał. Nadia nie miała pewności, co dokładnie czuje, ale była przekonana, że to uczucie jest bardzo silne. Dramatyczne okoliczności, jak te, w których znaleźli się w mieście teraz, i oni, i inni świeżo zakochani, zazwyczaj wywołują dramatyczne emocje, ponadto godzina policyjna dodatkowo wywołała efekt zbliżony do obserwowanego w związku na odległość, a związki na odległość znane są z tego, że potrafią wzmagać namiętność, przynajmniej chwilowo, podobnie jak po okresie postu jeszcze bardziej cieszymy się jedzeniem.

PIERWSZE DWA TYGODNIE po wprowadzeniu godziny policyjnej minęły, a oni nie spotkali się wieczorem, wybuch walk spowodował, że najpierw w dzielnicy Saeeda, a potem Nadii podróżowanie było niemożliwe, w tym czasie Saeed przesłał Nadii popularny żart o bojownikach, którzy dokładają wszelkich starań, żeby zapewnić mieszkańcom miasta właściwy odpoczynek w dzień wolny od pracy. W jednym i drugim wypadku wojsko przeprowadziło ataki z powietrza, rozbijając okno łazienki w domu Saeeda, kiedy brał prysznic, i jak trzęsienie ziemi huśtając Nadią i jej drzewkiem cytrynowym, kiedy siedziała na tarasie i paliła dżointa. Po niebie rozchodziło się ochrypłe zgrzytanie przelatujących myśliwców bombardujących.

Ale w trzeci weekend nastał chwilowy spokój i Saeed pojechał do Nadii, spotkali się w pobliskiej kafeterii, ponieważ zbyt ryzykowne dla Nadii było rzucanie mu burki za dnia, podobnie jak dla niego przebieranie się na dworze, założył więc burkę w toalecie kafeterii, kiedy Nadia płaciła rachunek, a potem, z zakrytą głową i wzrokiem wbitym w ziemię, poszedł za nią do jej domu, a gdy weszli na górę i znaleźli się w mieszkaniu, szybko wsunęli się razem do łóżka, niemal zupełnie nadzy, i po wielu wstępnych rozkoszach, ale również po pewnym, jej zdaniem, nieco przesadnym zwlekaniu z jego strony, zapytała, czy przyniósł prezerwatywę, a on ujął twarz Nadii w dłonie i powiedział:

– Wydaje mi się, że nie powinniśmy się kochać, dopóki się nie pobierzemy.

Roześmiała się na te słowa i mocniej się do niego przytuliła.

Ale on pokręcił głową.

Przestała się śmiać, utkwiła w nim spojrzenie i powiedziała:

– Czy ty, kurwa, sobie żartujesz?

PRZEZ MOMENT NADIA czuła, że ogarnia ją dzika wściekłość, ale gdy spojrzała na Saeeda, który sprawiał wrażenie niemal śmiertelnie zażenowanego, gotująca się w niej złość ustąpiła, więc uśmiechnęła się lekko, przycisnęła go mocno, żeby nieco go podręczyć i wystawić na próbę, po czym, sama dziwiąc się swoim słowom, stwierdziła:

– Dobra. Zobaczymy.

PóŹNIEJ, KIEDY LEŻELI w łóżku, słuchając starego i lekko porysowanego longplaya, Saeed pokazał jej w swoim telefonie wykonane przez francuskiego fotografa nocne zdjęcia sławnych miast oświetlonych jedynie blaskiem gwiazd.

– Ale jak mu się udało nakłonić wszystkich do wyłączenia świateł? – spytała Nadia.

– Nikogo nie nakłaniał – odrzekł Saeed. – Po prostu usunął oświetlenie. Chyba za pomocą komputera.

– Ale gwiazdy zostawił jasne.

– Nie, nad tymi miastami prawie nie widać gwiazd. Tak jak tu. Musiał pojechać na pustkowia. W miejsca, gdzie nie ma ludzkich świateł. Szukając nieba nad każdym z miast, jechał na pustkowie, które było tak samo oddalone na północ czy na południe, mniej więcej na tej samej szerokości geograficznej, w tym samym miejscu, w którym miasto, zgodnie z obrotem Ziemi, miało być za kilka godzin, a kiedy tam docierał, kierował aparat w tę samą stronę, jak przy robieniu zdjęcia w mieście.

– I w ten sposób uzyskał to samo niebo, jakie widać byłoby nad miastem, gdyby panowały w nim zupełne ciemności?

– To samo niebo, ale o innej godzinie.

Nadia zastanowiła się nad jego słowami. Te upiorne miasta – Nowy Jork, Rio, Szanghaj, Paryż – były przejmująco piękne pod plamami wiszących nad nimi gwiazd, a obrazy wyglądały, jakby pochodziły z czasów przed wynalezieniem elektryczności, ale z dzisiejszymi budynkami. Nie potrafiła rozstrzygnąć, czy ukazywały przeszłość, teraźniejszość czy może przyszłość.

W NASTĘPNYM TYGODNIU można było odnieść wrażenie, że wielki pokaz siły ze strony rządu zakończył się sukcesem. W mieście nie doszło do żadnych poważniejszych nowych ataków. Chodziły nawet słuchy, że godzina policyjna może zostać zawieszona.

Ale pewnego dnia nagle zniknął sygnał we wszystkich telefonach komórkowych w mieście, tak po prostu, jak za naciśnięciem wyłącznika. Telewizja i radio poinformowały o decyzji rządu: powiedziano, że to tymczasowe działania antyterrorystyczne, ale nie poinformowano, jak długo to potrwa. Zawieszono również łączność internetową.

Nadia nie miała w domu telefonu stacjonarnego. W domu Saeeda telefon stacjonarny już od miesięcy nie działał. Pozbawieni dostępu do siebie oraz do świata, dostępu, jaki zapewniały im telefony komórkowe, i zamknięci w czterech ścianach mieszkań wskutek wprowadzenia nocnej godziny policyjnej, Nadia i Saeed oraz niezliczone tłumy innych ludzi czuli się pozostawieni własnemu losowi, samotni i dużo bardziej przerażeni.

4.

WIECZOROWE ZAJĘCIA, na które uczęszczali Saeed i Nadia, dobiegły końca wraz z nadejściem pierwszego gęstego zimowego
smogu, a zresztą i tak wprowadzenie godziny policyjnej oznaczało,
że nie można było kontynuować tego typu kursów. W związku
z tym, że ani ona nie była nigdy w jego biurze, ani on w jej, nie
mieli pojęcia, jak odnaleźć się w ciągu dnia, a bez telefonów komórkowych oraz dostępu do Internetu nie mieli też gotowej re-
cepty na ponowne nawiązanie kontaktu. Byli niczym nietoperze,
które straciły możliwość korzystania z uszu, a co za tym idzie
zdolność do wyszukiwania przedmiotów podczas lotu w ciemnościach. Nazajutrz po tym, jak stracili sygnał w komórkach, Saeed
poszedł w porze lunchu do odwiedzanego zwykle przez nich baru
szybkiej obsługi, ale Nadia się nie pojawiła, a dzień później, kiedy
ponownie się tam wybrał, okiennice w barze były pozamykane,
prawdopodobnie właściciel uciekł albo po prostu zniknął.

Saeed wiedział, że Nadia pracuje w towarzystwie ubezpieczeniowym, więc zadzwonił do informacji telefonicznej
z prośbą o nazwy oraz numery telefonów towarzystw ubez-
pieczeniowych, a potem próbował się do nich dodzwonić, do

wszystkich po kolei, w każdej pytając o Nadię. Okazało się to niełatwe i bardzo czasochłonne: przedsiębiorstwo telekomunikacyjne musiało zmagać się z nieoczekiwanym obciążeniem linii, a ponadto naprawić zniszczoną w trakcie walk infrastrukturę, więc stacjonarny telefon w biurze Saeeda, jeśli w ogóle działał, to tylko od czasu do czasu, a kiedy już działał, jedynie z rzadka udawało się wychwycić pośród roju zajętych sygnałów telefonistę z centrali, który jednak – mimo rozpaczliwych błagań Saeeda, w tych dniach rozpaczliwe błagania były czymś powszechnym – stosował się do narzuconych ograniczeń i udostępniał najwyżej dwa numery podczas jednej rozmowy, a kiedy Saeedowi w końcu udało się zdobyć nową parę numerów, najczęściej jeden albo obydwa okazywały się w dany dzień nie działać, więc musiał dzwonić, dzwonić i w kółko dzwonić.

Nadia w porze lunchu pędziła do domu, żeby zrobić zapasy. Kupowała worki mąki, ryżu, orzechów i suszonych owoców, butelki oliwy, puszki z mlekiem, z wędzonym mięsem i ryby w solnej zalewie, wszystko po wygórowanych cenach, i ręce bolały ją od taszczenia tego wszystkiego do mieszkania, jeden transport po drugim. Uwielbiała warzywa, ale ponieważ ludzie mówili, że przede wszystkim należy zmagazynować jak najwięcej kalorii, żywność taka jak warzywa, charakteryzujące się dużą objętością w stosunku do ilości energii, którą mogły dostarczyć, a do tego szybko się psujące, była mniej przydatna. Wkrótce jednak półki w okolicznych sklepach zostały niemal zupełnie ogołocone, nawet z warzyw, i kiedy rząd wprowadził regulację, zgodnie z którą każdy mógł kupić tylko określoną ilość towaru dziennie, Nadię, podobnie jak wielu innych, ogarnęła panika i jednocześnie uczucie ulgi.

W weekend wybrała się o świcie do banku i stanęła w dość długiej już kolejce oczekujących na otwarcie, ale kiedy otwarto drzwi, kolejka przekształciła się w bezładną ludzką chmarę i chcąc nie chcąc, wraz z wszystkimi innymi rzuciła się do przodu, a tam, w nieokiełznanym tłumie, ktoś zaczął ją obmacywać, od tyłu, ktoś wsunął dłoń na jej pośladki, wpychał niżej i wciskał między jej nogi, próbując włożyć w nią palec, i choć mu się to nie udało, ponieważ napotkał barierę w postaci wielu warstw tkanin, jej burki, dżinsów i bielizny, i tak osiągnął tyle, ile tylko było możliwe w tych okolicznościach, używając niewiarygodnej siły, podczas gdy ją unieruchamiały ciała wokół, nie mogła się poruszyć ani nawet unieść rąk, a do tego była tak zaszokowana, że nie potrafiła krzyczeć czy też mówić, mogła jedynie ścisnąć uda i zacisnąć szczęki, usta zamykały się jej automatycznie, niemal fizjologicznie, instynktownie, jej ciało zamknęło dostęp do siebie, aż w końcu tłum się poruszył, palec zniknął i chwilę później jacyś brodaci mężczyźni rozdzielili ludzi na dwie części, na mężczyzn i kobiety, ona pozostała w strefie kobiet i dopiero po południu dotarła do kasy, gdzie wybrała tyle pieniędzy, ile było dozwolone, ukryła je pod ubraniem i w butach, niewiele wkładając do torby, i poszła do kantoru, żeby wymienić część pieniędzy na dolary i euro, oraz do jubilera, żeby resztę zamienić na kilka malutkich złotych monet, nieustannie oglądając się za siebie, żeby mieć pewność, że nikt za nią nie idzie, a następnie skierowała się do domu, gdy tam już jednak dotarła, okazało się, że w wejściu stoi jakiś poszukujący ją mężczyzna, a gdy go zobaczyła, z trudem pohamowała łzy, mimo że była posiniaczona, przestraszona i wściekła, bo tym mężczyzną, który cały dzień na nią czekał, okazał się Saeed.

Poprowadziła go na górę, zapominając, czy też nie dbając o to, że mogą ich zauważyć, tym razem nawet nie myśląc o burce dla niego, a na górze drżącymi rękami zaparzyła im herbatę, nie mogąc wydusić z siebie słowa. Zażenowana i rozzłoszczona, że tak ucieszył ją jego widok, czuła, że lada moment zacznie na niego krzyczeć, a on, widząc, jak bardzo jest zdenerwowana, w milczeniu otworzył przyniesione przez siebie torby i wręczył jej kuchenkę turystyczną na naftę, zapas paliwa, duże pudełko zapałek, pięćdziesiąt świeczek i paczkę tabletek chloru do dezynfekcji wody.

– Kwiatów nie znalazłem – powiedział.

W końcu się uśmiechnęła, choć był to tylko półuśmiech, i zapytała:

– A masz broń?

WYPALILI DŻOINTA I SŁUCHALI muzyki, a kiedy po pewnym czasie Nadia ponownie próbowała nakłonić Saeeda do seksu, nie dlatego, że była szczególnie podniecona, ale po prostu chciała zatrzeć w pamięci zadrę tego, co stało się w banku, Saeedowi ponownie udało się powstrzymać, chociaż namiętnie się pieścili, i powtórzył, że nie powinni tego robić, dopóki nie wezmą ślubu, bo byłoby to sprzeczne z jego przekonaniami religijnymi, ale dopiero, gdy zaproponował, żeby przeprowadziła się do niego i jego rodziców, zdała sobie sprawę, że jego słowa to coś w rodzaju propozycji.

Głaszcząc go po leżącej na jej piersiach głowie, zapytała:

– Chcesz powiedzieć, że myślisz o ślubie?

– Tak.

– Ze mną?

– Prawdę mówiąc, obojętnie z kim.

Prychnęła.

– Tak – powiedział, podnosząc się i patrząc na nią. – Z tobą.

Nic nie odparła.

– Co o tym sądzisz? – zapytał.

Kiedy czekał na jej odpowiedź, Nadia poczuła ogarniającą ją wielką falę czułości do niego, a jednocześnie galopujące przerażenie i ze zdziwieniem zauważyła, że czuje jeszcze coś, coś dużo bardziej skomplikowanego, coś w rodzaju pretensji.

– Nie wiem – powiedziała.

Pocałował ją.

– Dobra – odparł.

Kiedy zbierał się do wyjścia, zapisała sobie dane kontaktowe jego biura, a on zapisał informacje o jej, po czym dała mu czarną burkę, którą miał założyć, i powiedziała, żeby już nie chował jej w szparze między jej budynkiem a sąsiednim, gdzie wcześniej ukrywał noszone burki, dzięki czemu ona później mogła je odebrać, ale żeby ją zatrzymał, i wręczyła mu też zestaw kluczy.

– Żeby następnym razem moja siostra mogła sama wejść, kiedy przyjedzie przede mną – wyjaśniła.

Oboje się uśmiechnęli.

Ale po jego wyjściu dobiegły ją z oddali odgłosy niszczącej kanonady, artyleria równała z ziemią budynki, gdzieś na powrót rozgorzały zakrojone na szeroką skalę walki, więc zaczęła się martwić, czy nic mu się nie stanie w drodze do domu, jednocześnie zdając sobie sprawę z absurdalności tej sytuacji, że będzie musiała czekać aż do następnego dnia, aż pójdzie do pracy, żeby dowiedzieć się, czy bezpiecznie wrócił do domu.

Nadia zaryglowała drzwi i z mozołem przepchnęła pod nie sofę, barykadując się w ten sposób od wewnątrz.

TEJ SAMEJ NOCY, w niezbyt różniącym się od kawalerki Nadii mieszkaniu na poddaszu, w dzielnicy niezbyt odległej od dzielnicy Nadii, pewien dzielny człowiek stał w świetle latarki telefonu komórkowego i czekał. Raz na jakiś czas dochodziły do niego dźwięki tej samej artylerii, którą słyszała Nadia, tyle że głośniejsze. Kanonada dzwoniła szybami w jego mieszkaniu, delikatnie, przynajmniej na razie nie grożąc, że je rozbije. Ten dzielny mężczyzna nie miał zegarka ani normalnej latarki, więc obie te funkcje pełnił pozbawiony sygnału aparat telefoniczny, i miał na sobie ciężką zimową kurtkę, a w niej pistolet i nóż z ostrzem długim jak dłoń.

Z czarnych drzwi na drugim końcu pokoju, z drzwi czarnych nawet w ciemności, czarnych pomimo wiązki światła z telefonicznej latarki, zaczął wyłaniać się jakiś inny mężczyzna i właśnie jego obserwował dzielny mężczyzna ze swego stanowiska przy frontowych drzwiach, najwyraźniej nie robiąc jednak nic, żeby mu pomóc. Dzielny mężczyzna jedynie nasłuchiwał dźwięków dochodzących z zewnątrz, z klatki schodowej, wsłuchiwał się w brak dźwięku na schodach na zewnątrz, stojąc na swoim posterunku, trzymał telefon i dotykał palcami pistoletu w kieszeni kurtki, obserwując w absolutnej ciszy.

Dzielny mężczyzna był zdenerwowany, choć tylko z trudem dałoby się to dostrzec w mroku i w jego jak zawsze pozbawionej wyrazu twarzy. Był gotowy umrzeć, ale nie zamierzał umierać, zamierzał żyć i zamierzał dokonywać wielkich rzeczy w trakcie tego życia.

Drugi mężczyzna leżał na podłodze, z podróbką rosyjskiego szturmowego karabinu u boku, i osłaniał oczy przed światłem, zbierając siły. Nie widział, kto stoi przy frontowych drzwiach, wiedział tylko, że ktoś tam jest.

Dzielny mężczyzna stał w miejscu z ręką na pistolecie, słuchając i nasłuchując.

Drugi mężczyzna się podniósł.

Dzielny mężczyzna poruszył świecącą komórką, wabiąc drugiego mężczyznę niczym żabnica z pyskiem naszpikowanym igłami, która poluje w atramentowych głębinach, a kiedy drugi mężczyzna był już tak blisko, że mógł go dotknąć, dzielny mężczyzna otworzył frontowe drzwi mieszkania i drugi mężczyzna wkroczył w ciszę klatki schodowej. A potem dzielny mężczyzna zamknął drzwi i znów stał nieruchomo, w oczekiwaniu na następnego.

_____

W CIĄGU GODZINY ten drugi mężczyzna dołączył do walk, jako jeden z wielu innych, którzy mieli zrobić to samo, a bitwy, które teraz rozgorzały i szalały bez żadnych większych przerw, były o wiele bardziej zażarte i mniej nierówne niż dotychczas.

Wojna w mieście Saeeda i Nadii objawiała się jako bardzo osobiste doświadczenie, walczący ściśnięci na małej przestrzeni, blisko siebie, linie frontu przebiegały na poziomie ulicy, którą zmierzało się do pracy, szkoły, do której chodziła czyjaś siostra, domu przyjaciółki czyjejś ciotki, sklepu, w którym ktoś kupował papierosy. Matka Saeeda miała wrażenie, że zauważyła swojego byłego ucznia, jak z pełną determinacją strzela, celując z karabinu maszynowego zamontowanego na tylnej części pikapa. Spojrzała na tego młodego mężczyznę, on zaś popatrzył na nią, a ponieważ nie odwrócił się i jej nie zastrzelił, sądziła, że to musiał być on, chociaż ojciec Saeeda powiedział, że znaczy to tylko tyle, że widziała mężczyznę, który wolał strzelać w innym kierunku. Pamiętała go jako porządnego chłopca, nieśmiałego, jąkającego się i dobrego z matematyki, ale nie potrafiła przypomnieć sobie jego imienia. Zastanawiała się, czy to rzeczywiście był on i czy powinna się niepokoić, czy raczej odczuwać ulgę, gdyby rzeczywiście okazało się, że to on. Wydawało jej się, że w przypadku zwycięstwa bojowników, może wcale nie byłoby źle znać ludzi po ich stronie.

Dzielnice wpadały w ręce bojowników jedna po drugiej ze zdumiewającą szybkością i mentalna mapa matki Saeeda, przedstawiająca miejsce, w którym spędziła całe życie, przypominała teraz starą narzutę, pokrytą skrawkami ziemi rządowej i skrawkami terenu bojowników. Przebiegające między nimi postrzępione szwy były najbardziej śmiertelnymi przestrzeniami, których za wszelką cenę należało unikać. Rzeźnik, u którego kupowała, i farbiarz barwiący tkaniny, z których kiedyś szyła swoje świąteczne stroje, zniknęli w takich wyrwach, a miejsca, gdzie prowadzili działalność, były roztrzaskane i pokryte gruzami oraz szkłem.

W tych czasach ludzie znikali i zazwyczaj nikt nie wiedział, przynajmniej przez jakiś czas, czy żyją, czy nie żyją. Nadia raz celowo przejechała obok rodzinnego domu, nie po to bynajmniej, żeby porozmawiać z rodziną, tylko żeby zobaczyć z zewnątrz, czy nadal tam są i czy mają się dobrze, ale dom, który kiedyś opuściła, wyglądał na porzucony, bez śladów mieszkańców i życia. Kiedy odwiedziła to miejsce ponownie, nie dało się go poznać, domu już nie było, a budynek został zniszczony przez bombę ważącą tyle, co niewielki samochód. Nadia miała już nigdy nie dowiedzieć się, co się z nimi stało, ale później zawsze żywiła nadzieję, że udało im się wyjść z tego cało i porzucili miasto na pastwę plądrujących je żołnierzy, walczących po obu stronach, którym najwyraźniej nie przeszkadzało, że aby je zdobyć, trzeba zrównać je z ziemią.

Ona i Saeed mieli szczęście, bo przez pewien czas ich domy pozostawały w kontrolowanych przez rząd dzielnicach, a zatem ominęły je najcięższe walki, a także odwetowe ataki lotnicze, które wojska przeprowadzały na miejsca uważane nie tylko za zajęte, ale i nielojalne.

Szef Saeeda miał łzy w oczach, kiedy mówił swoim pracownikom, że musi zamknąć na cztery spusty firmę, przepraszając, że ich zawiódł, i jednocześnie obiecując, że gdy tylko wszystko wróci do normy i ponownie będzie można otworzyć agencję, przyjmie ich z otwartymi rękami. Był tak zrozpaczony, że odbierający ostatnie wynagrodzenia, mieli wrażenie, że w istocie to oni go pocieszają. Wszyscy zgodnie uważali go za człowieka dobrego i wrażliwego, co nie wróżyło nic dobrego, bo to nie były czasy dla takich ludzi.

Dział płac w biurze Nadii przestał wypłacać pensje i w ciągu kilku dni wszyscy przestali przychodzić do pracy. Nie było żadnych prawdziwych pożegnań, a przynajmniej ona w niczym takim nie uczestniczyła, a ponieważ jako pierwsi ulotnili się strażnicy, zaczęło się coś w rodzaju cichego szabrowania czy też odbierania zapłaty w sprzęcie i ludzie odchodzili z tym, co mogli unieść. Nadia założyła na ramię dwie torby z laptopami i sięgała po stojący na jej piętrze telewizor z płaskim ekranem, ale w końcu nie wzięła telewizora, ponieważ trudno byłoby załadować go na motocykl, więc zamiast go zabierać przekazała łup koledze o posępnej twarzy, a on grzecznie jej podziękował.

W TYM CZASIE LUDZIE w mieście zaczęli inaczej traktować okna. Okno wyznaczało granicę, przez którą najszybciej mogła nadejść śmierć. Okna nie były w stanie powstrzymać nawet najbardziej rachitycznego pocisku: każde miejsce wewnątrz z widokiem na zewnątrz było wystawione na ogień krzyżowy. Co więcej, roztrzaskana pobliskim wybuchem szyba mogła bardzo łatwo przekształcić się w szrapnel, a wszyscy słyszeli o tym czy innym człowieku, który wykrwawił się, poraniony odłamkami lecącego szkła.

Wiele okien zostało już rozbitych i wydawało się, że usunięcie tych, które jeszcze pozostały, jest roztropne, ale nadeszła zima, noce były chłodne, gaz i energię elektryczną dostarczano coraz rzadziej, okna zaś pozwalały nieco złagodzić przenikliwy chłód, więc ludzie pozostawili je na miejscu.

W tej sytuacji Saeed i jego rodzina postanowili poprzestawiać meble. Dosunęli pełne książek regały do okien w sypialniach, zasłaniając szyby, ale pozwalając światłu nadal sączyć się wokół krawędzi mebli, a łóżko Saeeda oparli o wysokie okna w salonie, materac i całą resztę ustawiając prawie pionowo, nieco pod kątem, tak żeby nogi łóżka opierały się o nadproże. Saeed sypiał na trzech dywanach ułożonych na podłodze, co jak mówił rodzicom, było korzystne dla jego pleców.

Nadia okleiła wewnętrzne strony szyb beżową taśmą do pakowania, taką, jakiej zwykle używa się do zaklejania kartonowych pudełek, i zamocowała na oknach mocne worki na śmieci, przybijając je gwoździami do okiennych ram. Czasami energia elektryczna pojawiała się na wystarczająco długo, by Nadii udało się naładować zapasowy akumulator, wówczas zaś mogła oddawać się lenistwu i w świetle pojedynczej nagiej żarówki słuchać płyt – muzyka nieco tłumiła ostre odgłosy walk – a spoglądając na okna, myślała sobie, że wyglądają trochę jak bezkształtne czarne dzieła sztuki współczesnej.

Ludzie zaczęli też inaczej patrzeć na drzwi. Zaczęły krążyć plotki o drzwiach, które mogły zabrać ludzi w zupełnie inne miejsca, często w miejsca odległe, bardzo dalekie od tej śmiertelnej pułapki, jaką stanowił obecnie ich kraj. Niektórzy twierdzili, że znają ludzi, którzy z kolei znali ludzi, którzy przeszli przez takie drzwi. Mówili, że normalne drzwi mogą stać się specjalnymi drzwiami i coś takiego może zdarzyć się niespodziewanie, z praktycznie każdymi drzwiami. Większość ludzi uważała te pogłoski za bzdury, za przesądy ludzi słabych na umyśle. Mimo to większość ludzi zaczęła nieco inaczej przyglądać się własnym drzwiom.

Również Nadia i Saeed rozmawiali o tych plotkach i nie traktowali ich poważnie. Mimo to, budząc się każdego ranka, Nadia spoglądała na drzwi wyjściowe, na drzwi do łazienki, do szafy, na taras. Saeed w swoim pokoju codziennie rano robił mniej więcej to samo. Wszystkie ich drzwi wciąż były normalnymi drzwiami, binarnymi przełącznikami, które włączały bądź wyłączały przepływ między dwoma sąsiadującymi ze sobą pomieszczeniami, albo otwartymi, albo zamkniętymi, ale każde z ich drzwi, obserwowane pod kątem ich irracjonalnego potencjału, stawały się również częściowo ożywione, stawały się obiektami dysponującymi subtelną siłą szyderstwa, wyśmiewania pragnień tych, którzy chcą odejść daleko, cicho szepczącymi z futryny, że takie marzenia są marzeniami głupców.

ODKĄD SAEED I NADIA przestali pracować, nic nie stało na przeszkodzie, żeby spotykali się w ciągu dnia, nic z wyjątkiem walk, co było akurat poważnym utrudnieniem. Nieliczne wciąż nadające programy lokalne przekonywały słuchaczy, że przebieg wojny jest pomyślny, ale międzynarodowe stacje relacjonowały, że w rzeczywistości sprawy mają się źle, a to z kolei tylko powiększa bezprecedensowy napływ migrantów, uderzający w kraje bogate, które stawiały mury i ogrodzenia oraz wzmacniały swoje granice, ale najwyraźniej bez zadowalającego efektu. Bojownicy mieli własną piracką stację radiową, ze spikerem o aksamitnie brzmiącym głosie, głębokim i irytująco seksownym, spikerem, który mówił powoli i wyraźnie i w tym swoim spowolnionym, ale zarazem niemal rapującym rytmie wieścił nieuchronny upadek miasta. Niezależnie, czy była to prawda czy nie, wałęsanie się po ulicach wiązało się z ryzykiem, więc Saeed i Nadia zazwyczaj spotykali się u Nadii.

Saeed jeszcze raz zaproponował, żeby przeprowadziła się do niego i jego rodziny, mówiąc, że wszystko wyjaśni rodzicom, że będzie miała swój pokój, a on będzie spał w salonie i że nie musieliby się pobierać, jedynie, z szacunku dla jego rodziców, będą musieli w domu żyć w czystości, a dla niej będzie to bezpieczniejsze, gdyż w obecnych czasach nikt nie powinien być sam. Nie dodawał, że samotność jest szczególnie niebezpieczna dla kobiety, ale wiedziała, że tak myślał i że to prawda, nawet jeśli odrzucała jego propozycję. Zauważył, że ta sprawa ją niepokoi, więc już do tego nie wracał, ale oferta pozostawała aktualna, a ona się nad nią zastanawiała.

Nadia sama zaczynała zdawać sobie sprawę, że nie jest to już miasto, w którym młoda, wiodąca niezależne życie kobieta mogłaby uznać, że poradzi sobie z czyhającymi na nią zagrożeniami, a ponadto równie ważne było to, że martwiła się o Saeeda za każdym razem, kiedy jechał się z nią spotkać i kiedy potem wracał. Ale gdzieś w głębi duszy sprzeciwiała się pomysłowi przeprowadzki do niego, a w zasadzie w ogóle do kogokolwiek, bo przecież tak wiele kosztowało ją wyprowadzenie się z domu, a poza tym bardzo przywiązała się do swojego małego mieszkanka, do tego życia, choć tak często samotnego, które tam zbudowała, a ponadto uważała pomysł życia jako cnotliwa na pół kochanka, na pół siostra Saeeda tak blisko jego rodziców za dosyć dziwaczny i pewnie czekałaby znacznie dłużej, gdyby nie zginęła matka Saeeda, zabłąkany pocisk wielkokalibrowy przeszedł przez szybę ich rodzinnego samochodu, zabierając ze sobą jedną czwartą głowy matki Saeeda, i to wcale nie wtedy, gdy kobieta prowadziła, ponieważ już od miesięcy nie prowadziła samochodu, tylko wtedy, gdy przeglądała wnętrze w poszukiwaniu kolczyka, który gdzieś jej się zawieruszył, i wówczas Nadia, widząc, w jakim stanie są Saeed i jego ojciec, kiedy w dniu pogrzebu po raz pierwszy przyszła do ich mieszkania, pozostała z nimi na noc, żeby w miarę możliwości pocieszyć ich i im pomóc, a potem nie spędziła już ani jednej nocy w swoim mieszkaniu.

5.

W TYCH CZASACH POGRZEBY były skromniejsze i odbywały się
w pośpiechu, ze względu na toczące się walki. Niektóre rodziny
nie miały innego wyjścia jak pogrzebać zmarłych na podwórzu
lub na osłoniętym skraju drogi, nie dało się bowiem dotrzeć do
prawdziwego cmentarza, i tak wyrastały organizowane na po-
czekaniu cmentarzyska, jedno unicestwione ciało przyciągało
kolejne, podobnie jak pojawienie się na zapomnianej państwowej
parceli jednego dzikiego lokatora może doprowadzić do po-
wstania całego slumsu.

Zgodnie z tradycją krewni i życzliwe osoby wypełniali
dom dotknięty żałobą przez wiele dni, ale obecnie ograniczano
tę praktykę, ponieważ podróżowanie po mieście było niebezpieczne, i chociaż ludzie przychodzili odwiedzić ojca Saeeda
i samego Saeeda, większość pojawiała się ukradkiem i nie mogła
pozostać na dłużej. Nie była to stosowna okazja, żeby zadawać
pytania o relacje Nadii z mężem i synem zmarłej, więc nikt tego
nie robił, ale niektórzy rzucali pytające spojrzenia, a ich oczy
wodziły za Nadią, gdy kręciła się po mieszkaniu w czarnej burce,
podając herbatę, ciasteczka i wodę; nie modliła się jednak, choć

trudno byłoby powiedzieć, że nie modliła się ostentacyjnie, wydawało się raczej, że jest zajęta troszczeniem się o ziemskie potrzeby innych i może pomodlić się później.

Saeed modlił się dużo, podobnie jak jego ojciec i podobnie jak ich goście, niektórzy z nich też płakali, ale Saeed płakał tylko raz, kiedy, po raz pierwszy zobaczywszy ciało matki, zaczął krzyczeć, ojciec Saeeda natomiast płakał tylko wtedy, gdy był sam w swoim pokoju, po cichu, nie roniąc łez, jego ciało wpadało w jakieś dygotanie albo drżenie, które go nie odstępowało, gdyż jego poczucie straty nie miało granic, a poczucie, że świat jest dobrotliwy, się zachwiało, bo żona była jego najlepszym przyjacielem.

Nadia zwracała się do ojca Saeeda „ojcze", a on mówił do niej „córko". Zaczęło się to już przy pierwszym ich spotkaniu i wydawało się odpowiednie zarówno jej, jak i jemu, bo były to powszechnie przyjęte formy zwracania się do siebie ludzi młodych i starszych, nawet ze sobą niespokrewnionych, a poza tym wystarczyło, że Nadia raz spojrzała na ojca Saeeda i od razu poczuła, że jest jak ojciec, był taki delikatny i wzbudzał w niej jakąś opiekuńczą troskę, jakby wobec własnego dziecka, szczeniaka lub pięknego wspomnienia, o którym już wiadomo, że zaczyna blednąć.

NADIA SPAŁA W POKOJU należącym wcześniej do Saeeda, na ułożonej na podłodze stercie dywanów i koców, nie zgodziwszy się na propozycję ojca Saeeda, który chciał oddać jej swoje łóżko;

Saeed spał na podobnym, choć cieńszym stosie w salonie, ojciec Saeeda natomiast samotnie w swojej sypialni, w pokoju,
w którym sypiał przez większość życia, ale nie pamiętał, kiedy
ostatnio spał w nim sam, i dlatego przestał mu być tak zupełnie znany.

Ojciec Saeeda każdego dnia napotykał przedmioty, które
należały do jego żony i przez swoją obecność usuwały z jego
świadomości wszystko inne, co zwie się teraźniejszością, foto-
grafię lub kolczyk czy szczególny szal zakładany na określoną
okazję, a Nadia każdego dnia napotykała przedmioty, które
zabierały ją w przeszłość Saeeda, jakąś książkę albo zestaw
utworów muzycznych bądź naklejkę na wewnętrznej stronie
szuflady, i przywoływały uczucia z jej własnego dzieciństwa
oraz wprawiały ją w zadumę nad losami jej rodziców i siostry,
a z kolei Saeed zajmował pomieszczenie, w którym pomiesz-
kiwał krótko, i to przed laty, kiedy z wizytą przybywali krewni
z daleka lub z zagranicy, więc ponowne zakwaterowanie w tym
miejscu budziło w nim echa lepszych czasów, i tak na tych kilka
sposobów te trzy osoby dzielące jedno mieszkanie brodziły
krzyżującymi się ścieżkami po zróżnicowanych i wielorakich
strumieniach czasu.

Dzielnica Saeeda wpadła w ręce bojowników i drobne
starcia w okolicy straciły na intensywności, ale z nieba wciąż
spadały duże bomby, eksplodując z niesamowitą mocą, przy-
wodzącą na myśl potęgę samej natury. Saeed był wdzięczny za
obecność Nadii, za to, jak odmieniła chwile ciszy opadające na
mieszkanie, niekoniecznie wypełniając je słowami, ale czyniąc je

mniej posępnymi w ich grobowym milczeniu. Był też wdzięczny za wpływ, jaki wywierała na ojca, którego uprzejmość, gdy przypominał sobie, że jest w towarzystwie młodej kobiety, wyrywała go ze stanu, który w przeciwnym razie byłby pasmem nieustającej zadumy, i chwilowo zwracało ponownie jego uwagę ku temu, co tu i teraz. Saeed żałował, że Nadia nie mogła spotkać się z jego matką, a jego matka nie poznała Nadii.

Czasami, kiedy ojciec Saeeda kładł się już spać, Saeed i Nadia siadali obok siebie w salonie, przyklejeni do siebie, żeby poczuć bliskość i ciepło, czasami trzymając się za ręce, ale nigdy nie pozwalając sobie na nic więcej niż pocałunek w policzek przed snem na pożegnanie, i wówczas często milczeli, ale też często po cichu rozmawiali – o tym, jak uciec z miasta, o nieustających plotkach na temat drzwi albo o sprawach bez żadnego znaczenia: jaki dokładnie kolor ma lodówka, o coraz mizerniejszym stanie szczoteczki do zębów Saeeda czy o tym, jak głośno Nadia chrapała, gdy była przeziębiona.

Pewnego wieczoru, kiedy siedzieli przytuleni do siebie właśnie w ten sposób, pod kocem, w migotliwym świetle lampy naftowej, ponieważ sieć energetyczna w ich mieście już nie działała, nie było też gazu i wody, usługi komunalne bowiem zupełnie przestały funkcjonować, Saeed powiedział:

– Wydaje mi się, jakby to było zupełnie naturalne, że mam cię tutaj.

– Ja też tak to czuję – odparła Nadia, opierając głowę na jego ramieniu.

– Czasami przy końcu świata może być nawet przytulnie.

Roześmiała się.

– Tak. Jak w jaskini. – Po chwili dodała: – Nawet trochę pachniesz jak jaskiniowiec.

– A ty ogniskiem.

Spojrzała na niego i poczuła, jak jej ciało się napina, poskromiła jednak pragnienie pieszczot.

Kiedy dowiedzieli się, że dzielnica Nadii również została zajęta przez bojowników i że drogi między ich dzielnicami są na ogół przejezdne, Saeed i Nadia powrócili do jej mieszkania, żeby mogła zabrać trochę rzeczy. Budynek Nadii został częściowo zniszczony i zniknęły fragmenty ściany od ulicy. Mieszczący się na parterze sklep z akumulatorami został splądrowany, ale metalowe drzwi do klatki schodowej stały nienaruszone, a ogólna konstrukcja sprawiała wrażenie dość solidnej – z pewnością wymagała poważnego remontu, ale nie była na skraju ruiny.

Zakrywające okna Nadii plastikowe worki na śmieci wciąż znajdowały się tam, gdzie je założyła, z wyjątkiem jednego, który został zniszczony wraz z samym oknem, a tam, gdzie uprzednio było okno, przezierało błękitne niebo, niezwykle jasne i piękne, jeśli pominąć wąską kolumnę dymu wznoszącego się gdzieś w oddali. Nadia zabrała gramofon, płyty, ubrania i jedzenie, a także wyschnięte na wiór, ale być może wciąż nadające się do odratowania drzewko cytrynowe, oraz pieniądze i złote monety, które pozostawiła zagrzebane w ziemi w glinianej donicy. Załadowali te rzeczy na tylną kanapę samochodu jego rodziny, tak że wierzchołek drzewka cytrynowego wystawał przez opuszczoną szybę. Nie wyjęła pieniędzy i złotych monet z donicy, obawiając się, że mogą być po drodze przeszukiwani na posterunku bojowników, i tak też się stało, ale ci, którzy ich zatrzymywali, wyglądali na wyczerpanych i naćpanych i przyjęli konserwy w ramach zapłaty za przepuszczenie ich dalej. Kiedy dotarli do domu i ojciec Saeeda zobaczył drzewko cytrynowe, uśmiechnął się, chyba pierwszy raz od wielu dni. Razem umieścili je na balkonie, ale musieli się spieszyć, ponieważ na ulicy poniżej zaczęli gromadzić się uzbrojeni mężczyźni, wyglądający na cudzoziemców i sprzeczający się w języku, którego żadne z nich trojga nie rozumiało.

Nadia nie wyjmowała gramofonu schowanego w pokoju Saeeda, nawet kiedy minął już zwyczajowy okres żałoby po matce Saeeda, ponieważ bojownicy zakazali słuchania muzyki, a mieszkanie w każdej chwili mogło zostać niespodziewanie przeszukane, jak to zdarzyło się już w przeszłości, gdy bojownicy załomotali w drzwi w środku nocy, a poza tym, nawet gdyby chciała odtworzyć płytę, nie było prądu, nawet tyle, żeby naładować w mieszkaniu zapasowe akumulatory.

Kiedy tamtej nocy pojawili się bojownicy, szukali członków pewnej sekty i żądali okazania dowodów tożsamości, żeby sprawdzić nazwiska wszystkich mieszkańców, ale szczęśliwie dla Saeeda, jego ojca i Nadii ich nazwiska nie kojarzyły się z typowymi dla wyznawców tropionej sekty. Sąsiedzi na górze nie mieli już takiego szczęścia: męża zwieszono głową w dół, gdy podrzynano mu gardło, a żonę i córkę wywleczono z domu i gdzieś zabrano.

Krew martwego sąsiada sączyła się przez szparę w podłodze i gromadziła się w zaciek w górnym narożniku salonu Saeeda, a kiedy Saeed i Nadia, którzy słyszeli krzyki sąsiadów, w końcu odważyli się pójść na górę, żeby zabrać zwłoki i je pochować, okazało się, że ciało zniknęło, przypuszczalnie zabrane przez katów, krew natomiast już wyraźnie wyschła i tworzyła plamę, która wyglądała jak namalowana kałuża w jego mieszkaniu, oraz nierówny ślad na schodach.

Następnej nocy, a może kolejnej, Saeed wszedł do pokoju Nadii i po raz pierwszy w tym miejscu nie byli już cnotliwi. Później każdego wieczoru jakieś połączenie przerażenia i pożądania ciągnęło go tam z powrotem, mimo wcześniejszego postanowienia, że nie zrobią nic, co mogłoby oznaczać brak szacunku dla jego rodziców, i chociaż się dotykali, głaskali i smakowali, nie posuwając się jednak do samego końca, na który ona już nie nalegała i bez którego nauczyli się radzić sobie na wiele sposobów. Jego matka odeszła, a ojciec niespecjalnie interesował się tymi romantycznymi sprawami, więc dalej robili to w tajemnicy, a fakt, że tacy jak oni, żyjący bez ślubu, kochankowie byli teraz przykładnie karani, skazywani na śmierć, powodował, że każdemu zbliżeniu towarzyszyła jakaś podszyta przerażeniem niecierpliwość i żarliwość, chwilami granicząca z osobliwym rodzajem rozkoszy.

KIEDY BOJOWNICY ZAJĘLI miasto, likwidując ostatnie bastiony oporu, nastał chwilowy spokój, przerywany aktywnością bombardujących z niebios dronów i samolotów, tych połączonych w sieć i w większości niewidzialnych maszyn, oraz publicznymi i prywatnymi egzekucjami, którym nie było końca, ciała zwisały z latarni i billboardów, niczym świąteczne dekoracje. Egzekucje nadchodziły falami, a gdy tylko jakaś dzielnica została oczyszczona, mogła spodziewać się odrobiny wytchnienia, dopóki ktoś nie popełnił jakiegoś wykroczenia, ponieważ wykroczenia, choć często odpowiedzialność za nie przypisywano dosyć przypadkowo, były niezmiennie i bez litości karane.

Ojciec Saeeda codziennie jeździł do kuzyna, który był jak starszy brat i dla ojca Saeeda, i dla jego ocalałego rodzeństwa, i przesiadywał tam ze starymi mężczyznami i kobietami, popijał herbatę i kawę, prowadząc dyskusje o przeszłości, a ponieważ wszyscy dobrze znali matkę Saeeda i potrafili opowiadać historie, w których zajmowała poczesne miejsce, więc będąc w ich towarzystwie, ojciec Saeeda, choć może nie czuł, że jego żona żyje, ponieważ każdego ranka ponownie odciskał się na nim ciężar jej śmierci, to przynajmniej miał wrażenie, że w małym stopniu może cieszyć się jej towarzystwem.

Każdego wieczoru w drodze do domu ojciec Saeeda zatrzymywał się na dłużej nad jej grobem. Pewnego razu, stojąc tam, zobaczył chłopców grających w piłkę nożną i ucieszył się na ten widok, który przypomniał mu, że gdy był w ich wieku, też potrafił nieźle grać, ale nagle zdał sobie sprawę, że oni nie są chłopcami, a raczej nastolatkami, młodymi mężczyznami, i wcale nie bawią się piłką, tylko odciętą głową kozła, więc pomyślał o nich, że to barbarzyńcy, ale potem przyszło mu na myśl, że ta głowa wcale nie była kozia, tylko ludzka, z włosami i brodą, i chociaż chciał wierzyć, że się myli, że się ściemniało i wzrok płata mu figle, i właśnie to próbował sobie wmówić, starając się nie patrzeć ponownie w tamtą stronę, to coś w ich twarzach zasiało w nim wątpliwości, jak w rzeczywistości wygląda prawda.

Tymczasem Saeed i Nadia całkowicie poświęcili się poszukiwaniom sposobu na ucieczkę z miasta, a skoro drogi lądowe powszechnie uważano za zbyt niebezpieczne, żeby z nich korzystać, oznaczało to, że należy spróbować przedostać się przez drzwi, w istnienie których większość ludzi zdawała się teraz wierzyć, zwłaszcza odkąd bojownicy ogłosili, że wszelkie próby użycia lub utrzymania w tajemnicy którychś z nich będzie karana, jak zwykle i raczej mało oryginalnie, śmiercią, a także dlatego, że osoby dysponujące radioodbiornikami odbierającymi audycje na falach krótkich twierdziły, że nawet najbardziej renomowani międzynarodowi nadawcy potwierdzają, że takie drzwi istnieją, a światowi liderzy rzeczywiście o nich dyskutują i upatrują w nich źródeł poważnego globalnego kryzysu.

Korzystając ze wskazówki pewnego znajomego, Saeed i Nadia wyruszyli o zmierzchu na piechotę. Ubrani byli zgodnie z zasadami ubierania, jego broda odpowiadała obowiązującym przepisom dotyczącym bród, a jej włosy były schowane zgodnie z przepisami dotyczącymi włosów, trzymali się jednak skraju dróg, idąc – na ile to tylko było możliwe – w cieniu i starając się pozostać niezauważalnymi i jednocześnie nie wyglądać na osoby, którym zależy na tym, żeby ich nie zauważono. Minęli wiszące w powietrzu ciało i prawie nie czuli jego zapachu, ale tylko dopóki szli z wiatrem, bo kiedy znaleźli się po drugiej stronie, smród stał się prawie nie do wytrzymania.

Ze względu na latające wysoko na ciemniejącym niebie roboty, niewidoczne, ale w tych czasach nigdy nieoddalające się zbytnio od ludzkich myśli, Saeed szedł nieco zgarbiony, jakby z lekka kulił się na myśl o bombie lub pocisku, które jedna z tych maszyn mogła w każdej chwili posłać w ich stronę. W przeciwieństwie do niego Nadia, nie chcąc sprawiać wrażenia osoby o nieczystym sumieniu, kroczyła z podniesionym czołem, na wypadek gdyby zostali zatrzymani i podczas sprawdzania dokumentów zauważono by, że Saeed nie figuruje w jej dokumentach jako mąż, bo wówczas będzie bardziej wiarygodna, prowadząc przesłuchujących do domu i przedstawiając falsyfikat, który rzekomo miał być świadectwem ich ślubu.

Mężczyzna, którego mieli odnaleźć, mówił, że jest agentem, choć nie było jasne, czy to ze względu na to, że zajmował się podróżami, czy z powodu jego potajemnej działalności, czy też z jakiejś innej przyczyny, i mieli spotkać się z nim w labiryntowych ciemnościach spalonego centrum handlowego, ruinach z niezliczonymi wyjściami i kryjówkami, w których Saeed pożałował, że zgodził się na towarzystwo Nadii, a Nadia żałowała, że nie wzięli latarki lub, skoro już jej nie zabrali, przynajmniej noża. Stali, niewiele widząc, i czekali z narastającym niepokojem.

Nie słyszeli, jak agent się zbliża – może był tam przez cały czas – i wystraszyli się, słysząc jego głos tuż za sobą. Agent mówił cicho, niemal słodko, a jego głos przywodził na myśl szept poety czy psychopaty. Polecił im, żeby się nie ruszali, żeby się nie odwracali. Powiedział Nadii, żeby odkryła głowę, a gdy zapytała, dlaczego ma to zrobić, odparł, że to nie jest prośba.

Choć Nadia miała wrażenie, że mężczyzna znajduje się bardzo blisko niej, jakby zaraz miał dotknąć jej szyi, nie słyszała jego oddechu. Gdzieś z oddali dobiegł ich cichy dźwięk i w tym momencie ona i Saeed uzmysłowili sobie, że agent może nie być sam. Saeed zapytał, gdzie są drzwi i dokąd prowadzą, na co agent odparł, że drzwi są wszędzie, ale cała trudność polega na tym, żeby znaleźć takie, których bojownicy jeszcze nie odkryli, drzwi jeszcze niestrzeżone, a to może trochę potrwać. Agent zażądał od nich pieniędzy, więc Saeed przekazał mu je, niepewny, czy wpłacają zaliczkę, czy są po prostu okradani.

Wracając pospiesznie do domu, Saeed i Nadia spoglądali w nocne niebo, na potęgę gwiazd i popstrzoną jasność księżyca, tak wyrazistą przy braku oświetlenia elektrycznego, a także przy ograniczonym zanieczyszczeniu, które generował niewielki ruch uliczny w mieście cierpiącym na głód paliwa, i zastanawiali się, dokąd zaprowadzą ich te drzwi, do których wykupili dostęp, gdzieś w góry, na równiny lub nad morze, i idąc tak, zobaczyli leżącego na ulicy wychudzonego mężczyznę, który musiał niedawno wyzionąć ducha, z głodu lub z choroby, bo nie wyglądał na rannego, a kiedy w mieszkaniu przekazali ojcu Saeeda przypuszczalnie dobrą nowinę, zareagował dziwnym milczeniem, długo czekali, aż coś powie, ale w końcu stwierdził tylko:

– Bądźmy dobrej myśli.

Dni mijały, a agent nie odzywał się do Saeeda i Nadii i coraz częściej zadawali sobie pytanie, czy w ogóle się do nich odezwie, a tymczasem gdzieś na świecie inne rodziny przenosiły się z miejsca na miejsce. Jedna z nich – matka, ojciec, córka, syn – wyłoniła się z całkowitej ciemności wewnętrznych drzwi serwisowych. Znajdowali się na końcu rozległej podniesionej podłogi, pod skupiskiem jasnych i szklanych wież wypełnionych luksusowymi apartamentami i noszących wspólne, nadane im przez firmę deweloperską, miano Jumeirah Beach Residence. Na obrazie z kamery monitoringu widać było, jak ci ludzie mrugają w sterylnym sztucznym świetle, dochodząc do siebie po przeprawie. Wszyscy byli smukli, wyprostowani i mieli ciemną skórę i chociaż obrazowi nie towarzyszył dźwięk, rozdzielczość była wystarczająca, żeby oprogramowanie do czytania z ruchu warg mogło rozpoznać język jako tamilski.

Po krótkiej przerwie rodzina została ponownie wychwycona przez drugą kamerę, kiedy we czworo przechodzili przez korytarz i naciskali poziome sztaby, które zamykały ciężkie podwójne drzwi ognioodporne, a gdy się otworzyły, jasność blasku słońca pustyni Dubaju przekroczyła zakres czułości czujnika obrazu i cztery postaci wyglądały na chudsze, niematerialne, rozmyte w aureoli bieli, ale jednocześnie zostały uchwycone na trzech kanałach monitoringu zewnętrznego, maleńkie figurki wchodzące niepewnym krokiem na szeroki chodnik, promenadę biegnącą wzdłuż jednokierunkowego bulwaru, po którym wolno sunęły dwa drogie dwudrzwiowe samochody, jeden żółty, drugi czerwony, a wycie rosnących obrotów ich silników można było pośrednio zauważyć w przerażeniu malującym się na twarzach dziewczynki i chłopca.

Trzymający dzieci za ręce rodzice wyglądali na zagubionych, nie wiedząc, w którym kierunku iść. Być może pochodzili z jakiejś nadmorskiej wioski, a nie z miasta, ciągnęli bowiem w stronę morza, oddalając się od budynków, widać ich było pod różnymi kątami, kiedy szli po zbudowanej na piasku ścieżce, rodzice od czasu do czasu szeptali coś do siebie, dzieci przyglądały się najbledszym i niemal całkowicie roznegliżowanym turystom leżącym na ręcznikach i leżakach – chociaż liczba turystów była znacznie mniejsza niż zazwyczaj w pełni zimowego sezonu, ale dzieci nie mogły tego wiedzieć.

Pięćdziesiąt metrów nad nimi unosił się mały czterośmigłowy dron, zbyt cichy, żeby go usłyszeć, i przekazywał sygnał do centralnej stacji monitoringu, a także do dwóch różnych pojazdów ochrony, do sedana wyglądającego na prywatny i do drugiego wozu, oznakowanej furgonetki z kratami w oknach, i właśnie z tego drugiego pojazdu wyszło dwóch mundurowych i zdecydowanym krokiem, lecz bez nadmiernego lub niepokojącego turystów pośpiechu, ruszyli wzdłuż linii, która za chwilę lub dwie miała przeciąć się z trajektorią mówiącej po tamilsku rodziny.

W tej chwili rodzina ukazała się również na ekranach aparatów zamontowanych w różnych telefonach komórkowych turystów, którzy robili sobie selfie, i raczej nie wyglądała na zwartą grupkę, bardziej jak czwórka różnych osobników, z których każdy zachowywał się inaczej, matka raz za razem starała się nawiązać kontakt wzrokowy z mijanymi kobietami, po czym natychmiast opuszczała wzrok, ojciec klepał się po kieszeniach i obmacywał spód plecaka, jakby szukał rozdarć czy przecieków, córka wpatrywała się w spadochroniarzy akrobatów, którzy mknęli do pobliskiej przystani i w ostatniej chwili wzbijali się i lądowali, biegnąc jak sprinterzy, syn na każdym kroku sprawdzał przygotowaną dla biegaczy gumowaną powierzchnię pod stopami, a potem chwila minęła i zostali przechwyceni i odprowadzeni, musiało ich to bardzo zdumieć lub onieśmielić, gdyż trzymali się za ręce i nie opierali się ani nie rozbiegli, ani nie uciekali.

Ze względu na brak prądu Saeed i Nadia w pomieszczeniach zamkniętych mogli cieszyć się pewnym odizolowaniem od zdalnego nadzoru, ale i tak ich dom w każdej chwili mógł bez zapowiedzi zostać przeszukany przez uzbrojonych mężczyzn, a gdy wychodzili na zewnątrz, od razu oczywiście widziały ich obiektywy, spoglądające na ich miasto z nieba i z kosmosu, oraz oczy bojowników i informatorów, a informatorem mógł być ktokolwiek, każdy.

Obecnie musieli robić publicznie to, co uprzednio było czymś prywatnym – wypróżniać się, ponieważ odkąd w rurach nie płynęła woda, toalety w budynku Saeeda i Nadii nie działały. Mieszkańcy wykopali na małym podwórzu na tyłach domu dwa głębokie rowy, jeden dla mężczyzn, drugi dla kobiet, oddzielone grubą płachtą zawieszoną na sznurze na bieliznę, i tam wszyscy musieli kucać, żeby się załatwić, pod chmurką, nie zważając na smród, z twarzą pochyloną nisko nad ziemią, bo jeśli nawet ktoś zobaczyłby tę scenę, przynajmniej aktor mógł ukryć swoją tożsamość.

Mimo wielokrotnego podlewania cytrynowe drzewko Nadii nie odżyło i stało zwiędłe na balkonie, z kilkoma wyschniętymi listkami uczepionymi gałązek.

Choć może wydawać się to dziwne, nawet w takiej sytuacji Saeed i Nadia nie mieli zupełnie jednoznacznego stosunku do kwestii znalezienia drogi ucieczki. Saeed rozpaczliwie chciał opuścić swoje miasto, w pewnym sensie zawsze tego pragnął, ale wyobrażał sobie, że opuści je tylko na chwilę, przejściowo, nie zaś raz na zawsze; zbliżające się odejście było zupełnie inne, wątpił bowiem, czy kiedykolwiek tu wróci, a perspektywa, że jego wielopokoleniowa rodzina oraz krąg przyjaciół i znajomych się rozproszy, i to na zawsze, głęboko go zasmuciła, co najmniej tak, jak utrata domu, własnego domu.

Nadia prawdopodobnie pragnęła odejść jeszcze mocniej, a do tego z natury była osobą, którą zazwyczaj podniecała perspektywa czegoś nowego, perspektywa zmian. Ale dręczyły ją też obawy, co wiązało się z kwestią zależności, obawiała się, że wyjeżdżając za granicę i opuszczając kraj, ona, Saeed i jego ojciec będą zdani na łaskę obcych, będą musieli żyć z datków, zamknięci w zagrodach jak szkodniki.

Już od dawna, a w przyszłości miało się to nie zmienić, Nadia lepiej znosiła przeprowadzki niż Saeed, który przejawiał większą skłonność do nostalgii, być może dlatego, że jego dzieciństwo było bardziej idylliczne, a może dlatego, że po prostu takie miał usposobienie. Ale oboje, niezależnie od dręczących ich obaw związanych z przyszłością, nie mieli wątpliwości, że odejdą, gdy tylko nadarzy się okazja. I dlatego też, kiedy pewnego ranka pod drzwi ich mieszkania ktoś wepchnął odręcznie napisaną wiadomość od agenta, z informacją, gdzie dokładnie i o której dokładnie godzinie mają się stawić następnego popołudnia, żadne z nich nie spodziewało się, że ojciec Saeeda może powiedzieć:

– Wy dwoje musicie iść, ale ja nie pójdę.

Saeed i Nadia oświadczyli, że takie rozwiązanie nie wchodzi w rachubę, i wyjaśnili, na wypadek, gdyby chodziło o nieporozumienie, że wszystko jest załatwione, zapłacili agentowi za trzy osoby i wyjeżdżają razem, a ojciec Saeeda wysłuchał ich, ale nie ustąpił: oni, powtórzył, muszą iść, a on musi zostać. Saeed groził, że jeśli będzie musiał, zaniesie ojca na własnych ramionach, nigdy wcześniej nie rozmawiał z ojcem takim tonem, a ojciec zabrał go na bok, bo widział ból, jaki zadaje synowi, i kiedy Saeed zapytał, dlaczego ojciec to robi, co jest przyczyną, że chce zostać, ojciec Saeeda po prostu odparł:

– Twoja matka jest tutaj.

– Matka odeszła – stwierdził Saeed.

– Nie dla mnie – odrzekł ojciec.

I w pewnym sensie była to prawda, dla niego matka Saeeda nie odeszła, a przynajmniej niezupełnie, więc ojcu Saeeda ciężko byłoby opuścić miejsce, w którym spędził z nią życie, ciężko byłoby mu nie móc codziennie odwiedzać jej grobu, a nie chciał, żeby tak się stało, w pewnym sensie wolał żyć przeszłością, przeszłość bowiem dawała mu więcej.

Ojciec Saeeda myślał jednak również o przyszłości, nawet jeśli nie powiedział o tym synowi, obawiając się, że jeśli mu to wyzna, syn może nie odejść, a on doskonale wiedział, że syn musi odejść, więc nie powiedział mu tego, że sam dotarł do takiego momentu w życiu rodziców, kiedy rodzic zdaje sobie sprawę, że gdy nadchodzi powódź, musi puścić swoje dziecko, wbrew wszelkim instynktom młodości, ponieważ dłuższe trzymanie dziecka nie zapewni mu już ochrony, w ten sposób można tylko pociągnąć dziecko w dół i sprawić, że utonie, dziecko bowiem stało się silniejsze od rodzica i w takiej sytuacji wymagana jest jak największa siła, a łuk życia dziecka tylko przez chwilę zdaje się pokrywać z łukiem życia rodzica, w rzeczywistości jeden biegnie nad drugim, jak wzgórze na szczycie wzgórza, krzywa na szczycie krzywej, i łuk ojca Saeeda musiał teraz wygiąć się w dół, podczas gdy łuk syna wciąż piął się wyżej, i teraz, z przeszkadzającym im starym mężczyzną, ta dwójka młodych ludzi po prostu miała mniejsze szanse na przetrwanie.

Ojciec Saeeda powiedział synowi, że go kocha, i powiedział też, że tym razem Saeed nie może sprzeciwić się mu w tej kwestii, bo chociaż nigdy nie uznawał dyrygowania synem, to teraz tak właśnie robi, bo w tym mieście na Saeeda i Nadię czeka tylko śmierć, a pewnego dnia, kiedy sytuacja się poprawi, Saeed wróci do niego, ale kiedy to mówił, obaj mężczyźni wiedzieli, że tak się nie stanie, że Saeed nie będzie mógł powrócić za życia ojca, i rzeczywiście, jak się okazało, po tej nocy, która dopiero się zaczynała, Saeed już nigdy nie miał spędzić ani jednej nocy z ojcem.

Następnie ojciec Saeeda poprosił Nadię do swojego pokoju, żeby porozmawiać z nią bez Saeeda, i powiedział, że powierza jej życie syna, że ona, którą nazywał córką, nie może jako córka go zawieść, jego, którego nazywała ojcem, i musi dopilnować, żeby Saeed znalazł się w bezpiecznym miejscu, a on ma nadzieję, że pewnego dnia poślubi jego syna i jego wnuki będą nazywać ją mamą, ale o tym to już ona i Saeed muszą zdecydować sami, on natomiast prosi jedynie, żeby pozostała przy Saeedzie, dopóki Saeedowi nie będzie już zagrażało niebezpieczeństwo, i poprosił ją, żeby mu to obiecała, na co ona odparła, że obieca mu to tylko wtedy, gdy pójdzie z nimi, więc ojciec Saeeda powtórzył, że nie może tego zrobić, ale że oni muszą iść, powiedział to łagodnie, jak modlitwę, a ona siedziała z nim w milczeniu, minuty mijały, aż w końcu obiecała, czując, że z jednej strony łatwo jej złożyć taką obietnicę, bo wówczas myśl o opuszczeniu Saeeda nawet nie przeszłaby jej przez głowę, ale z drugiej bardzo trudno, ponieważ składając ją, czuła, że zostawia starego człowieka na pastwę losu, bo chociaż rzeczywiście miał rodzeństwo i kuzynów i mógł teraz z nimi zamieszkać lub oni mogli zamieszkać u niego, to jednak oni nie będą potrafili go chronić tak jak Saeed i Nadia, a więc składając tę obietnicę, której złożenia domagał się od niej, w pewnym sensie go zabijała, ale taka jest już kolej rzeczy, bo kiedy migrujemy, dokonujemy morderstwa, usuwamy z naszego życia tych, których pozostawiamy.

6.

Tej nocy, nocy przed opuszczeniem miasta, spali niewiele, a rano ojciec Saeeda uściskał ich, pożegnał się i wyszedł z domu, z wilgotnymi oczami, ale się nie zatrzymując, stary człowiek, który uznał, że najlepiej zostawić młodych i nie skazywać ich na udrękę wychodzenia przez frontowe drzwi ze świadomością, że on stoi za nimi i patrzy. Nie powiedział, dokąd wybiera się na cały dzień, więc Saeed i Nadia zdali sobie sprawę, że są sami, że po jego odejściu już go nie odnajdą, i w ciszy jego nieobecności Nadia raz po raz sprawdzała małe plecaki, które mieli ze sobą zabrać, małe, ponieważ nie chcieli wzbudzać podejrzeń, ale każdy wypełniony tak, że niemal pękał w szwach, jak żółw uwięziony w zbyt ciasnej skorupie, a Saeed przesuwał palcami po meblach mieszkania, po teleskopie, po butelce z kliprem, starannie złożył zdjęcie rodziców, żeby ukryć je w ubraniach wraz z kartą pamięci zawierającą rodzinny album, i dwukrotnie się pomodlił.

Droga na miejsce spotkania ciągnęła się w nieskończoność, ale idąc, Saeed i Nadia nie trzymali się za ręce, zabroniono robienia czegoś takiego w miejscach publicznych przez osoby różnej płci, nawet jeśli te osoby rzekomo były małżeństwem, ale ich kłykcie od czasu do czasu muskały bok partnera, a ten sporadyczny kontakt fizyczny bardzo wiele im dawał. Wiedzieli, że agent mógł sprzedać ich bojownikom, i dlatego też byli świadomi, że może to być ostatnie popołudnie ich życia.

Miejsce spotkania znajdowało się przy rynku, w przerobionym domu, który kojarzył się Nadii z jej dawnym domem. Na parterze mieściła się klinika stomatologiczna, w której od dawna nie było lekarstw i środków przeciwbólowych, a od wczoraj nie było również dentysty, i zaraz po wejściu do poczekalni przeżyli wstrząs na widok stojącego tam człowieka przypominającego bojownika, z przewieszonym przez ramię karabinem szturmowym. Ale mężczyzna wziął tylko od nich pozostałą część zapłaty i polecił im usiąść, więc zajęli miejsca w zatłoczonym pomieszczeniu, obok przerażonej pary i dwójki ich dzieci w wieku szkolnym oraz młodego mężczyzny w okularach i starszej kobiety, która przycupnęła wyprostowana na krzesełku, jakby pochodziła z zamożnej rodziny, nawet jeśli jej ubranie było brudne, i co kilka minut wzywano kogoś do gabinetu dentysty, a gdy poproszono do środka Nadię i Saeeda, zobaczyli szczupłego mężczyznę, który również przypominał wyglądem bojownika i dotykał paznokciem krawędzi nozdrza, jakby bawił się powstałym tam zgrubieniem czy też brzdąkał na instrumencie muzycznym, a kiedy się odezwał, usłyszeli ten jego charakterystyczny łagodny głos i od razu zdali sobie sprawę, że to on był agentem, którego wcześniej spotkali.

W pomieszczeniu było ciemno, a znajdujące się w nim fotel dentystyczny i narzędzia kojarzyły się z izbą tortur. Agent skinął głową w stronę mrocznych drzwi, które kiedyś prowadziły do szafy z materiałami stomatologicznymi, i powiedział do Saeeda: „Idź pierwszy", ale Saeed, który do tej pory myślał, że rzeczywiście pójdzie pierwszy, chcąc mieć pewność, że Nadia bezpiecznie może podążyć za nim, teraz zmienił zdanie, stwierdziwszy, że groźniejsze dla niej może być pozostanie w tyle, i powiedział: „Nie, ona pójdzie pierwsza".

Agent wzruszył ramionami, jakby to nie miało dla niego znaczenia, a Nadia, która dotychczas nie zastanawiała się, kto z nich ma wyruszyć jako pierwszy, zdała sobie teraz sprawę, że nie ma dla nich dobrego rozwiązania, że każde z nich naraża się na ryzyko, niezależnie od tego, które z nich pójdzie jako pierwsze, nie dyskutowała, tylko podeszła do drzwi, ale gdy się do nich zbliżała, zaskoczył ją ich mrok, ich nieprzezroczystość, to, w jaki sposób nie ujawniały tego, co było po drugiej stronie, a jednocześnie nie odbijały tego, co było po tej stronie, a więc dało się je postrzegać równie dobrze jako początek i koniec; odwróciwszy się jeszcze do Saeeda, zobaczyła, że się w nią wpatruje, wyraz jego twarzy był pełen obaw i smutku, wzięła zatem jego ręce w swoje dłonie i chwyciła je mocno, a potem, puszczając je, bez słowa przeszła na drugą stronę.

W TAMTYCH CZASACH MAWIANO, że przejście przypomina zarówno umieranie, jak i narodziny, i Nadia rzeczywiście musiała doświadczyć czegoś w rodzaju unicestwienia, gdy wkraczała w ciemność, i zmagać się do ostatniego tchu, kiedy usiłowała z niej wyjść, a kiedy już leżała na podłodze pokoju po drugiej stronie, było jej zimno, czuła się poobijana i mokra, w pierwszej chwili zbyt wyczerpana i rozdygotana, żeby się podnieść, i z trudem łapiąc powietrze w płuca, pomyślała, że ta wilgoć musi być jej własnym potem.

Saeed już się wyłaniał, więc Nadia podczołgała się do przodu, żeby zrobić mu miejsce, i gdy to robiła, zauważyła umywalki, lustra, kafelki podłogi oraz stojące za jej plecami kabiny, wszystkie wyposażone w zupełnie normalne drzwi, z wyjątkiem jednych, z wyjątkiem tych, przez które przyszła i przez które teraz wchodził Saeed, drzwi, które były czarne, więc Nadia uzmysłowiła sobie, że znalazła się w jakiejś publicznej toalecie, ale choć uważnie nasłuchiwała, wokół panowała cisza, jedyne słyszalne dźwięki dobiegały z niej samej, były jej oddechem, oraz z Saeeda, który cicho postękiwał, jakby ćwiczył albo uprawiał seks.

Objęli się, jeszcze nie wstając, Nadia tuliła go w ramionach, bo był bardzo słaby, a gdy już dostatecznie nabrali sił, podnieśli się i zobaczyła, że Saeed odwraca się w stronę drzwi, jakby brał pod uwagę możliwość zawrócenia i powrotu przez te drzwi, więc tylko stała obok niego, nie odzywając się, a on przez jakiś czas trwał w bezruchu, po czym wielkimi krokami ruszył do przodu i wyszli na zewnątrz, a tam znaleźli się między dwoma niskimi budynkami, docierające do nich dźwięki brzmiały tak, jakby trzymali muszle przy uszach, czuli zimny powiew na twarzach i zapach morza w powietrzu, a gdy się rozejrzeli, zobaczyli piaszczysty teren i nadciągające niewielkie szare fale i chociaż mogło wydawać się to jakimś cudem, żadnym cudem nie było, stali po prostu na plaży.

Plaża znajdowała się naprzeciwko nadmorskiego ośrodka, z barami, stolikami oraz wystawionymi na zewnątrz dużymi głośnikami i ułożonymi na zimę w sterty leżakami. Napisy w ośrodku były w języku angielskim, a także w innych językach europejskich. Wyglądał na opuszczony, więc Saeed i Nadia podeszli do morza, woda zatrzymywała się tuż przed ich stopami i wnikała w piasek, pozostawiając linie w otaczającej ich gładkiej powierzchni, podobnie jak puszczane dzieciom przez rodziców pękające bańki mydlane. Po pewnym czasie pojawił się mężczyzna o bladej cerze i jasnobrązowych włosach, który polecił im się stąd oddalić, gestykulował przy tym rękami, jakby ich przeganiał, jego ruchy nie były jednak wrogie czy szczególnie niegrzeczne, wyglądało to bardziej, jakby rozmawiał w jakimś mieszanym dialekcie międzynarodowego języka migowego.

Oddaliwszy się od nadmorskiego ośrodka, na osłoniętej od wiatru stronie wzgórza dostrzegli coś, co musiało być obozem dla uchodźców, z setkami namiotów i przybudówek, a wśród nich ludzi wielu kolorów i odcieni – wielu kolorów i odcieni, ale w większości należących do kategorii brązowej, od ciemnej czekolady do herbaty z mlekiem – i ci ludzie gromadzili się wokół ognia, który palił się w stojących pionowo beczkach na ropę, prowadzili rozmowy rozbrzmiewające kakofonią języków świata, jaką można by usłyszeć, będąc satelitą komunikacyjnym albo szefem wywiadu korzystającym z podsłuchu założonego na biegnący po dnie morza kabel światłowodowy.

W tej grupie wszyscy byli obcokrajowcami, a więc w pewnym sensie nikt nim nie był. Nadia i Saeed szybko odnaleźli gromadę rodaków oraz rodaczek i dowiedzieli się, że znaleźli się na greckiej wyspie Mykonos, ogromnie popularnej latem wśród turystów i, jak można było zauważyć, tej zimy ogromnie popularnej wśród migrantów, oraz że drzwi prowadzące na zewnątrz, czyli drzwi do bogatszych miejsc docelowych, były dobrze strzeżone, drzwi do wewnątrz natomiast, drzwi z biedniejszych miejsc, w większości pozostawały niestrzeżone, być może w nadziei, że ludzie wrócą tam, skąd przyszli – chociaż prawie nikt tego nie robił – a może dlatego, że po prostu za dużo było drzwi prowadzących ze zbyt wielu biedniejszych miejsc, żeby dało się wszystkich strzec.

Obóz w pewnym sensie pełnił funkcję faktorii z czasów gorączki złota i można tu było kupić bądź wymienić wiele towarów, od swetrów przez telefony komórkowe po antybiotyki, a także, dyskretnie, seks i narkotyki, a wśród jego mieszkańców były rodziny patrzące w przyszłość i gangi młodych patrzących tylko, jak wykorzystać bezbronnych, i prawi, i oszuści, i tacy, którzy ryzykowali życie, żeby ocalić swoje dzieci, i tacy, którzy potrafili udusić człowieka w ciemności, tak żeby nie wydał żadnego dźwięku. Jak im powiedziano, wyspa była dość bezpieczna, nie licząc chwil, kiedy nie była, czyli nie różniła się od większości innych miejsc. Przyzwoitych osób było tam znacznie więcej niż niebezpiecznych, ale po zmroku najlepiej było pozostawać w obozie, w pobliżu innych ludzi.

NA PIERWSZE ZAKUPY Saeeda i Nadii, odpowiedzialnej za negocjowanie cen, składała się woda, jedzenie, koc, większy plecak, mały namiot, który można było złożyć w lekki przenośny tobołek, oraz elektryczność i lokalne numery do ich telefonów. Na położonym na skraju obozu zboczu znaleźli skrawek ziemi, który nie był ani zbyt wystawiony na działanie wiatru, ani zbyt skalisty, i tam tymczasowo się urządzili, a kiedy się tym zajmowali, Nadia myślała o zabawie w dom, takiej jak w dzieciństwie z siostrą, a Saeed myślał, że jest złym synem, ale gdy Nadia, kucnąwszy obok niemal bezlistnego krzewu, poprosiła Saeeda, żeby również przykucnął, i tam, w ukryciu, próbowała go pocałować pod gołym niebem, odwrócił się ze złością, ale zaraz przeprosił i przyłożył policzek do jej twarzy, lecz ona, próbując odprężyć się przy nim z twarzą przytuloną do jego brodatej twarzy, w tym momencie z zaskoczeniem dostrzegła w nim jakieś rozgoryczenie, a przecież nigdy wcześniej nie widziała w nim goryczy, ani razu przez te wszystkie miesiące, ani przez jedną sekundę, nawet wtedy, gdy umarła jego matka, był wówczas smutny, tak, przygnębiony, ale nie zgorzkniały, nie wyglądał, jakby coś żerało go stopniowo od środka. Tak naprawdę zawsze uważała go za przeciwieństwo rozgoryczenia, zawsze był tak skory do uśmiechu, więc uspokoiła się dopiero wtedy, gdy wziął ją za rękę i pocałował jej dłoń, jakby w ramach zadośćuczynienia, ale i ona była trochę podenerwowana, ponieważ przyszło jej do głowy, że zgorzkniały Saeed nie będzie już prawdziwym Saeedem.

Wyczerpani, zdrzemnęli się w namiocie. Kiedy się obudzili, Saeed próbował dodzwonić się do ojca, ale automatyczna wiadomość poinformowała go, że połączenie nie może zostać zrealizowane, Nadia natomiast próbowała nawiązać kontakt ze znajomymi za pośrednictwem aplikacji czatowych i mediów społecznościowych i od razu odpowiedział jej ktoś, kto trafił do Auckland, a także ktoś inny, kto dotarł do Madrytu.

Nadia i Saeed usiedli obok siebie na ziemi i przeglądali najnowsze wiadomości: o zamieszaniu na świecie, o sytuacji w ich kraju, o różnych drogach i celach, które migranci obierali i polecali sobie nawzajem, o różnych sztuczkach, jakie można z korzyścią zastosować, o niebezpieczeństwach, których za wszelką cenę należy unikać.

Późnym popołudniem Saeed poszedł na szczyt wzgórza, na które udała się również Nadia, i każde z nich spoglądało ponad wyspą, sięgając wzrokiem dalej, w morze, on stał obok miejsca, w którym ona stała, a ona stała obok miejsca, w którym stał on, wiatr szarpał i targał ich włosy na wszystkie strony, i rozglądając się, spojrzeli na siebie, ale nie widzieli się wzajemnie, ona bowiem poszła tam przed nim, a on poszedł po niej, i każde z nich było na grzbiecie wzgórza tylko przez chwilę, i nie była to ta sama chwila.

Kiedy Saeed schodził ze wzgórza do miejsca, w którym Nadia już z powrotem siedziała przy ich namiocie, pewna młoda kobieta w Wiedniu opuszczała galerię sztuki współczesnej, w której pracowała. Bojownicy z kraju Saeeda i Nadii przedostali się do Wiednia w ubiegłym tygodniu i miasto stało się świadkiem ulicznej masakry, bojownicy strzelali do bezbronnych ludzi i natychmiast gdzieś znikali, w jedno popołudnie doszło do takiej rzezi, jakiej Wiedeń jeszcze nigdy nie widział, w każdym razie – jakiej nie widział od czasów walk w ubiegłym wieku, a także we wcześniejszych stuleciach, ale tamte walki były zupełnie inne, miały większą skalę, bo przecież Wiedniowi, jak dowodzą historyczne annały, wojna była nieobca, a bojownicy być może liczyli na to, że w ten sposób wywołają wrogą reakcję wobec migrantów napływających do Wiednia z ich części świata, a jeśli na to liczyli, to osiągnęli sukces, jako że ta młoda kobieta dowiedziała się o tłumie, który zamierzał zaatakować migrantów zebranych w pobliżu ogrodu zoologicznego, wszyscy o tym mówili i przesyłali sobie wiadomości na ten temat, a ona zamierzała dołączyć do ludzkiego muru, żeby rozdzielić obie strony, a raczej ochronić migrantów przed ich przeciwnikami, na płaszczu miała znaczek z pacyfą, a także znaczek z tęczową flagą oraz symbol współczucia dla migrantów, czarne drzwi w czerwonym sercu, i już czekając na pociąg, zorientowała się, że tłum na dworcu nie jest normalnym tłumem, trudno byłoby tam szukać dzieci i osób starszych, było tam też o wiele mniej kobiet niż zwykle, powszechnie wiedziano o planowanych zamieszkach, więc prawdopodobnie ludzie woleli trzymać się z daleka, ale dopiero kiedy wsiadła do pociągu i znalazła się w otoczeniu mężczyzn, którzy wyglądali jak jej brat, kuzyni, ojciec i wujowie, z tą różnicą, że byli rozgniewani i wściekli, wpatrywali się w nią i w jej znaczki z nieskrywaną wrogością, z obrzydzeniem wobec tak jawnej zdrady, zaczęli na nią krzyczeć i ją popychać, dopiero wtedy poczuła strach, fundamentalny zwierzęcy strach, przerażenie, i wówczas pomyślała, że teraz wszystko może się wydarzyć, więc kiedy dotarli na kolejną stację, przepchnęła się i wysiadła z pociągu, przerażona, że zaraz ją chwycą, zatrzymają i skrzywdzą, ale tego nie zrobili i udało się jej umknąć, a kiedy pociąg odjechał, przez chwilę zastanawiała się, stojąc na peronie, rozdygotana, po czym zebrała się na odwagę i zaczęła iść, nie w kierunku swojego mieszkania, pięknego mieszkania z widokiem na rzekę, ale w innym kierunku, w kierunku zoo, tam, dokąd od początku zamierzała się udać i dokąd mimo wszystko pójdzie, a to wszystko działo się pod słońcem zsuwającym się po niebie, podobnie jak to działo się również nad wyspą Mykonos, która, choć położona na południe i wschód od Wiednia, w kategoriach planetarnych była przecież niedaleko, a na Mykonos Saeed i Nadia czytali o tych starciach, do których dochodziło w Wiedniu i o których dyskutowali w Internecie pochodzący z ich kraju i ogarnięci paniką ludzie, pragnący dowiedzieć się, co zrobić, żeby przeżyć te zamieszki albo przed nimi uciec.

Noce były zimne, więc Saeed i Nadia spali w ubraniach, nie zdejmując kurtek, przytuleni do siebie i zawinięci w koc, który był nie tylko na nich i wokół nich, ale też pod nimi, dając pewną ochronę przed twardą i dosyć nierówną ziemią. Namiot był zbyt niski, żeby się w nim wyprostować, miał kształt długiego, ale niskiego pięciościanu i przypominał trójkątny szklany pryzmat, który Saeed miał w dzieciństwie i za pomocą którego załamywał światło słoneczne, tworząc małe tęcze. On i Nadia położyli się bardzo blisko siebie, przytuleni, ale po pewnym czasie przytulanie się zaczyna być niewygodnie, zwłaszcza w ciasnych pomieszczeniach, więc w końcu spali w pozycji na łyżeczkę, na początku on przyciskał się do niej od tyłu, a następnie, kiedy już księżyc niezauważenie przetoczył się gdzieś wysoko nad ich głowami, Saeed odwrócił się i wówczas ona też się odwróciła i przywarła do niego.

Kiedy rano się obudził, patrzyła na niego, pogłaskał ją po włosach, a ona dotknęła palcem zarostu nad jego wargą i pod uchem, pocałował ją i wydawało się, że wszystko między nimi jest w jak najlepszym porządku. Spakowali się i Saeed zarzucił na plecy duży plecak, Nadia wzięła namiot, a potem wymienili jeden z małych plecaków na matę do jogi, w nadziei, że dzięki niej będą mieli wygodniejsze posłanie.

Niespodziewanie ludzie zaczęli wybiegać z obozu, a do Saeeda i Nadii dotarła plotka, jakoby znaleziono nowe drzwi, drzwi do Niemiec, więc również oni zaczęli biec, początkowo w samym środku tłumu, ale sadząc szybkimi krokami, wkrótce znaleźli się bliżej jego czoła. Tłum wypełniał wąską drogę i wylewał się na jej obrzeża, w najdłuższym miejscu rozciągając się na setki metrów, a Saeed zastanawiał się, dokąd się kierują, dopiero po jakimś czasie zobaczył, że zmierzają do jakiegoś hotelu czy kurortu. Gdy się tam zbliżyli, dostrzegł stojących szeregiem na ich drodze mężczyzn w mundurach i kiedy powiedział o tym Nadii, zaczęli zwalniać kroku, oboje przestraszeni, dając się wyprzedzić innym, ponieważ już kiedyś widzieli w swoim mieście, co się dzieje, gdy strzela się w nieuzbrojoną masę ludzi. Ale ostatecznie nie oddano żadnych strzałów, mundurowi po prostu zatrzymali tłum i nie ruszyli się z miejsca, i choć kilka odważnych lub zdesperowanych czy pomysłowych osób starało się przedostać na drugą stronę, próbując obiec czy to z jednej, czy z drugiej strony szereg w miejscach, gdzie były większe odstępy między żołnierzami, szybko złapano tych kilku śmiałków, a po upływie godziny tłum rozproszył się i większość ludzi skierowała się z powrotem do obozu.

W PODOBNY SPOSÓB MIJAŁY kolejne dni, pełne oczekiwań i fałszywych nadziei, dni, które mogły być nudne, i dla wielu takie były, ale Nadia wpadła na pomysł, żeby zwiedzili wyspę, jak turyści. Saeed się roześmiał i przystał na ten pomysł, śmiejąc się po raz pierwszy, odkąd tu przybyli, a ona na ten widok poczuła, że robi jej się cieplej na sercu, więc zarzuciwszy na plecy swoje rzeczy, jak przemierzający pustkowia wędrowcy, szli wzdłuż plaż, po wzgórzach i wchodzili na krawędzie klifów, ostatecznie uznając, że Mykonos jest rzeczywiście pięknym miejscem i że teraz rozumieją, dlaczego ludzie chętnie tu przyjeżdżają. Czasem spotykali grupy niebezpiecznie wyglądających ludzi, więc Saeed i Nadia starali się zachować dystans, a wieczorem zawsze się pilnowali, żeby spać na obrzeżach jednego z wielkich obozów migracyjnych, których było wiele i do których każdy mógł należeć, przyłączając się lub opuszczając je, kiedy to komu pasowało.

Pewnego razu spotkali znajomego Saeeda, co wydawało się nieprawdopodobnym i szczęśliwym zbiegiem okoliczności, jakby dwa liście, zdmuchnięte gdzieś daleko przez huragan z tego samego drzewa, wylądowały jeden na drugim, i co ogromnie uradowało Saeeda. Mężczyzna powiedział, że zajmuje się przemytem ludzi, już wcześniej pomagał różnym osobom uciec z miasta i to samo robi tutaj, ponieważ zna tu wszystko jak własną kieszeń. Zgodził się pomóc Saeedowi i Nadii i nawet obniżył dla nich stawkę o połowę, za co byli mu wdzięczni, po czym wziął od nich pieniądze, obiecując, że nazajutrz rano będą już w Szwecji, ale gdy się obudzili, wszelki ślad po nim zaginął. Po prostu go nie było. Zniknął z dnia na dzień. Saeed ufał mu, więc przez tydzień nigdzie się nie ruszali, zostali w tym samym miejscu w tym samym obozie, ale już nigdy nie zobaczyli tego człowieka. Nadia wiedziała, że zostali oszukani, takie rzeczy były na porządku dziennym, i chociaż również Saeed miał tego świadomość, przez jakiś czas chciał wierzyć, że może coś się temu człowiekowi przytrafiło i przeszkodziło mu w powrocie, i modląc się, Saeed modlił się nie tylko za powrót tego mężczyzny, ale także za jego bezpieczeństwo, aż w końcu zrobiło mu się głupio, że dalej modli się za tego człowieka, więc później Saeed modlił się tylko za Nadię i za ojca, zwłaszcza za ojca, którego z nimi nie było, a przecież powinien z nimi być. Obecnie jednak powrót do ojca był niemożliwy, bo bojownicy już dawno odkryli wszystkie drzwi w ich mieście, a jeśli ktoś, o kim wiedziano, że uciekł przed ich rządami, przez takie drzwi wracał, jego szanse na przeżycie równały się zeru.

Pewnego ranka Saeedowi udało się pożyczyć maszynkę do strzyżenia brody i przyciął zarost na krótko, tak jak nosił się wówczas, kiedy Nadia spotkała go po raz pierwszy, i tego samego ranka zapytał Nadię, dlaczego wciąż nosi czarną burkę, skoro nie musi tego tu robić, na co ona odparła, że nie musiała ich nosić nawet w ich mieście, kiedy jeszcze mieszkała samotnie, zanim pojawili się bojownicy, ale zdecydowała się na to, ponieważ w ten sposób wysyłała określony sygnał, i nadal chciała wysyłać ten sygnał, a kiedy on uśmiechnął się i zapytał, nawet do mnie kierujesz ten sygnał, również ona się uśmiechnęła i powiedziała: nie do ciebie, ty widziałeś mnie bez niczego.

FUNDUSZE ZACZYNAŁY im się kurczyć, zniknęła już ponad połowa pieniędzy, z którymi opuścili miasto. Obecnie lepiej rozumieli rozpacz, którą dostrzegali w obozach, widziany w oczach ludzi strach, że zostaną tu uwięzieni na zawsze albo dopóki głód nie zmusi ich do powrotu przez drzwi prowadzące do niepożądanych miejsc, drzwi, których nikt nie pilnował, a które ludzie w obozach nazywali pułapkami na myszy; mimo wszystko część zrezygnowanych osób decydowała się z nich skorzystać, zwłaszcza kiedy wyczerpali wszystkie środki, ryzykowali przejście przez nie do tego samego miejsca, z którego przybyli, albo do innego nieznanego miejsca, kiedy dochodzili do wniosku, że wszędzie będzie lepiej niż tu, gdzie byli.

Saeed i Nadia zaczęli ograniczać wędrówki, żeby zachować więcej energii, a tym samym zmniejszyć potrzebę jedzenia i picia. Saeed kupił prymitywną wędkę, za niezbyt wygórowaną cenę, ponieważ miała zepsuty kołowrotek i żyłkę trzeba było rozwijać i nawijać ręcznie. Wraz z Nadią wybrali się nad morze, stanęli na skale i założywszy chleb na haczyk, próbowali łowić, samotnie, dwoje zupełnie samotnych ludzi, niemal całkowicie otoczeni przez wodę, którą bryza rzeźbiła w mętne wzgórza, skrywające to wszystko, co znajdowało się pod spodem, i tak wędkowali i wędkowali całymi godzinami, na zmianę, ale czy to dlatego, że żadne z nich nie wiedziało, jak się łowi ryby, czy może po prostu mieli pecha, niczego nie złapali, chociaż czuli, że ryby biorą, i wyglądało, jakby tylko karmili chlebem stale nienasyconą morską wodę.

Ktoś powiedział im, że ryby najlepiej łowić o świcie i o zmierzchu, więc zostali sami nad morzem dłużej niż zazwyczaj. Ściemniało się już, gdy w oddali zobaczyli czterech mężczyzn zbliżających się plażą. Nadia powiedziała, że powinni już iść, i kiedy Saeed się zgodził, zaczęli pospiesznie się oddalać, ale mężczyźni wyraźnie podążali za nimi, więc Saeed i Nadia przyspieszyli kroku, szli najszybciej, jak potrafili, chociaż Nadia poślizgnęła się i rozcięła rękę na skałach. Mężczyźni zbliżali się do nich i Saeed z Nadią zastanawiali się na głos, co mogliby porzucić z niesionych rzeczy, żeby zmniejszyć ciężar bagaży albo w formie ofiary, która mogłaby zadowolić ścigających ich ludzi. Saeed stwierdził, że być może mężczyźni chcą zabrać im wędkę, i oboje chwycili się tej myśli, była bowiem bardziej uspokajająca niż inna możliwość, czyli rozważenie, czego jeszcze mogą chcieć mężczyźni. Rzucili więc wędkę, ale niebawem, kiedy minęli zakręt, zobaczyli dom, a przed nim umundurowanych strażników, co oznaczało, że w tym domu znajdują się drzwi do jakiegoś pożądanego miejsca, i choć Saeed i Nadia nigdy wcześniej nie odczuwali ulgi na widok strażników na wyspie, tym razem wyraźnie jej doznali. Zbliżali się, dopóki strażnicy nie krzyknęli do nich, żeby się nie zbliżali, a wówczas Saeed i Nadia się zatrzymali, dając do zrozumienia, że nie zamierzają wedrzeć się do domu, po czym usiedli w miejscu, w którym strażnicy mogli ich widzieć i w którym czuli się bezpiecznie, a Saeed zaczął się nawet zastanawiać, czy nie pobiec z powrotem i nie odzyskać wędki, ale Nadia powiedziała, że to zbyt ryzykowne. Oboje teraz żałowali, że ją wyrzucili. Przez chwilę rozglądali się uważnie, ale czterech mężczyzn się nie pojawiło, więc rozbili namiot, tej nocy nie spali jednak zbyt dobrze.

DNI ROBIŁY SIĘ coraz cieplejsze i na Mykonos powoli do życia budziła się wiosna, a wraz z nią pojawiały się świeże pąki i gdzieniegdzie rozproszone kwiaty. Mimo że spędzili tu już tyle tygodni, Saeed i Nadia nigdy nie byli w starym mieście, ponieważ migranci mieli tam zakaz wstępu nocą, a nawet za dnia usilnie odradzano im wybieranie się do miasta, z wyjątkiem jego peryferii, gdzie mogli handlować z mieszkańcami, to znaczy z tymi, którzy przebywali na wyspie dłużej niż kilka miesięcy, ale ponieważ rana na ręce Nadii zaczęła się zaogniać, udali się na obrzeża starego miasta, żeby opatrzono ją w klinice. Miejscowa dziewczyna, która miała częściowo wygoloną głowę i nie była ani lekarką, ani pielęgniarką, a tylko ochot- niczką, nastolatką o miłym usposobieniu, najwyżej osiemnasto- czy dziewiętnastoletnią, oczyściła i opatrzyła ranę, delikatnie, trzymając rękę Nadii, jakby to było coś bezcennego, trzymając ją niemal nieśmiało. Wdały się w rozmowę i wkrótce wytwo- rzyła się między nimi jakaś więź, dziewczyna oświadczyła, że chciałaby pomóc Nadii i Saeedowi, i zapytała, czego potrzebują. Odparli, że przede wszystkim chcieliby się wydostać z wyspy, na co dziewczyna powiedziała, że może uda jej się coś zrobić, i po- prosiła, żeby zostali w pobliżu, zapisała sobie też numer telefonu Nadii, a potem Nadia codziennie przychodziła do kliniki, gdzie obie rozmawiały, czasami piły razem kawę lub paliły dżointa, a dziewczyna wyglądała na bardzo uszczęśliwioną jej widokiem.

Stare miasto było przepiękne, porozrzucane na płowych wzgórzach białe budynki z niebieskimi oknami opadały po zboczu ku morzu, a patrzący z przedmieścia Saeed i Nadia mogli obserwować małe wiatraki, zaokrąglone kształty ko- ściołów i żywą zieleń drzew, które z daleka wyglądały jak ro- śliny doniczkowe. Pobyt w tej okolicy był kosztowny, tutejsze obozy często zasiedlali migranci z większą gotówką, więc Saeed zaczął się martwić.

Ale nowa przyjaciółka Nadii spełniła obietnicę i pewnego dnia, bardzo wcześnie rano, poleciła Nadii i Saeedowi usiąść z tyłu swojego skutera i pognała z nimi przez wciąż jeszcze ciche ulice do położonego na wzgórzu domu z dziedzińcem. Wbiegli do środka i tam znaleźli drzwi. Dziewczyna życzyła im szczęścia i mocno przytuliła Nadię, a Saeed ze zdumieniem zauważył w oczach tej dziewczyny coś jakby łzy, a jeśli nie łzy, to przynajmniej jakiś mglisty blask, Nadia również ją przytuliła, i trwało to długo, dziewczyna coś szeptała i szeptała, a potem Nadia i Saeed odwrócili się i przeszli przez drzwi, zostawiając Mykonos za sobą.

7.

Wyłonili się w sypialni z widokiem na nocne niebo, wyposażonej w meble tak kosztowne i solidnie wykonane, że Saeed i Nadia pomyśleli, że znaleźli się w hotelu, jakie widuje się w filmach i grubych ilustrowanych magazynach, z pomieszczeniami w jasnym drewnie, z kremowymi dywanikami, białymi ścianami i połyskującym tu i ówdzie metalem, metalem odbijającym obraz jak lustro, obramowującym tapicerkę sofy i panel wyłącznika światła. Leżeli nieruchomo, mając nadzieję, że nie zostaną odkryci, ale wokół panowała cisza, cisza tak głęboka, że czuli się, jakby byli na wsi – bo nigdy wcześniej nie spotkali szyb dźwiękochłonnych – a wszyscy w hotelu z pewnością spali.

Gdy jednak się podnieśli i wyprostowali, ich oczom ukazało się to wszystko, co znajdowało się poniżej nocnego nieba, zobaczyli, że są w mieście, naprzeciwko wznosił się rząd białych budynków, każdy z nich był idealnie pomalowany i utrzymany, a do tego niewiarygodnie podobny do kolejnego i przed każdym z tych budynków stały drzewa, wyrastające z prostokątnych szczelin w chodniku, wyłożonego prostokątnymi kamiennymi płytami chodnikowymi lub betonem wylanym w formie płyt chodnikowych, wiśnie obsypane pąkami i białymi kwiatami, jakby niedawno padał śnieg, który osiadł na gałęziach i liściach, wzdłuż całej ulicy, na każdym kolejnym drzewie, a oni nie mogli oderwać od tego wzroku, bo wydawało im się to niemal nierzeczywiste.

Przez chwilę jeszcze zwlekali, ale wiedzieli, że nie mogą zostać na zawsze w pokoju hotelowym, więc w końcu chwycili za klamkę u drzwi, które nie były zamknięte, i wyszli na korytarz kończący się klatką schodową, która piętro niżej doprowadziła ich do jeszcze bardziej okazałych schodów, wychodzących na piętra nie tylko z kolejnymi sypialniami, ale także z pokojami dziennymi i salonami, i dopiero wówczas zdali sobie sprawę, że znaleźli się w jakimś domu, z pewnością był to pałac, z mnóstwem pokoi i mnóstwem cudownych cudów, z kranami tryskającymi wodą niczym nieróżniącą się od wody źródlanej, białej, z bąbelkami i delikatnej – tak, delikatnej – w dotyku.

W MIEŚCIE ZACZĘŁO JUŻ świtać, ale wciąż nikt nie odkrył ich obecności, i siedząc w kuchni, Saeed i Nadia zastanawiali się, co robić. Lodówka była prawie pusta, co mogło oznaczać, że od jakiegoś czasu nikt z niej nie korzystał, i chociaż w szafkach znajdowały się pudełka i puszki z mniej psującymi się artykułami spożywczymi, nie chcieli zostać oskarżeni o kradzież, więc wyjęli z plecaków własne jedzenie i ugotowali dwa ziemniaki na śniadanie. Skorzystali jednak ze znalezionych w domu dwóch torebek herbaty ekspresowej, którą sobie zaparzyli, każde z nich poczęstowało się też łyżeczką znalezionego tu cukru, i gdyby w domu było mleko, pewnie wzięliby też po kropelce, ale mleka nie udało im się znaleźć.

Włączyli telewizor, chcąc sprawdzić, czy uda im się ustalić, gdzie się znajdują, i bardzo szybko stało się dla nich jasne, że są w Londynie, a podczas oglądania programu, w którym od czasu do czasu pojawiały się apokaliptyczne wiadomości, poczuli się jakoś dziwnie normalnie, bo od miesięcy nie oglądali telewizji. W pewnym momencie usłyszeli jakiś dźwięk za plecami i zobaczyli stojącego za nimi mężczyznę, który się w nich wpatrywał, więc natychmiast się poderwali, Saeed sięgnął po ich plecaki, a Nadia po namiot, ale mężczyzna obrócił się tylko bez słowa i ruszył po schodach w górę. Nie wiedzieli, co o tym sądzić. Mężczyzna najwyraźniej był podobnie jak oni zaskoczony otoczeniem, w jakim się znalazł, a potem aż do zmroku nie widzieli nikogo innego.

Kiedy zapadły ciemności, z pokoju na piętrze, do którego Nadia i Saeed wcześniej przybyli, zaczęli wyłaniać się ludzie: kilkunastu Nigeryjczyków, a później kilku Somalijczyków, po nich rodzina z pogranicza Mjanmy i Tajlandii. Było ich coraz więcej i więcej. Niektórzy opuszczali dom, gdy tylko mieli możliwość. Inni zostali, zajmując jak swoje czy to sypialnię, czy pokój dzienny.

Saeed i Nadia wybrali dla siebie małą sypialnię na tyłach domu, położoną na pierwszym piętrze, z balkonem, z którego mogliby, gdyby było to konieczne, wyskoczyć do tylnego ogrodu, a stamtąd przy odrobinie szczęścia uciec.

111

Pokój tylko dla siebie – cztery ściany, okno, drzwi z zamkiem – wydawał się niewiarygodnym szczęściem i Nadia już chciała nawet rozpakować bagaże, ale wiedząc, że w każdej chwili muszą być gotowi do odejścia, wyjęła z plecaka tylko absolutnie niezbędne rzeczy. Saeed z kolei wygrzebał ukryte pod ubraniami zdjęcie rodziców i umieścił je na półce, z której spoglądało na nich, nieco pogniecione, przekształcając tę wąską sypialnię przynajmniej częściowo, tymczasowo w prawdziwy dom.

W korytarzu obok była łazienka, a Nadia najbardziej na świecie pragnęła właśnie wziąć prysznic, pragnęła tego nawet bardziej niż jedzenia. Saeed stanął na warcie pod drzwiami, a ona weszła do środka, rozebrała się i przyjrzała własnemu ciału, tak szczupłemu, jak nigdy wcześniej, pokrytemu smugami brudu, głównie jej własnego biologicznego pochodzenia, zaschniętym potem i martwą skórą, oraz porośniętemu włosami w miejscach, w których nigdy nie pozwalała na obecność włosów, i pomyślała, że jej ciało wygląda jak ciało zwierzęcia, jakiegoś dzikusa. Ciśnienie wody pod prysznicem było cudowne, uderzała w jej skórę z wyraźną siłą, szorując ją do czysta. Również ciepło było wspaniałe, a kiedy podkręciła ogrzewanie tak bardzo, jak tylko mogła wytrzymać, ciepło zaczęło wnikać jej w wychłodzone od miesięcy zimnego powietrza na dworze kości, łazienka wypełniła się parą jak las w górach, pachnący sosną i lawendą ze znalezionego mydła, było jak w jakimś niebie, z ręcznikami tak wytwornymi i delikatnymi, że kiedy w końcu wyszła i z nich skorzystała, poczuła się niczym księżniczka, a przynajmniej jak córka dyktatora, który był gotów zabijać bez litości, byle tylko jego dzieci mogły rozkoszować się takiej jakości bawełną, doświadczać tego cudownego wrażenia na swoich nagich brzuchach i udach, wycierając się ręcznikami wyglądającymi, jakby nigdy wcześniej nie były używane, i może już nigdy więcej nie zostaną ponownie użyte. Nadia zaczęła na powrót zakładać wcześniej poskładane ubrania, ale nagle zdała sobie sprawę, że nie jest w stanie tego zrobić, bijący od nich smród był nieznośny, ale kiedy już miała wyprać ubranie w wannie, usłyszała walenie w drzwi i zreflektowała się, że musiała zamknąć drzwi na klucz. Otworzywszy je, zobaczyła zdenerwowanego, zirytowanego i brudnego Saeeda.

– Co ty, do diabła, wyprawiasz? – zapytał.

Uśmiechnęła się i zbliżyła, żeby go pocałować, ale gdy jej wargi dotknęły jego ust, prawie nie zareagował.

– To trwało całe wieki – powiedział. – Nie jesteśmy u siebie w domu.

– Daj mi pięć minut. Muszę wyprać ubranie.

Wpatrywał się w nią, lecz nie zaprotestował, ale nawet gdyby się sprzeciwił, czuła wielką wewnętrzną siłę i wiedziała, że i tak by je wyprała. To, co robiła, to, co właśnie zrobiła, nie było jakąś błahostką, to dotyczyło spraw podstawowych, tego, co znaczy być człowiekiem, co znaczy żyć jak człowiek, przypomnieć sobie, kim się jest, a zatem było to ważne i jeśli zaszłaby potrzeba, warto było o to walczyć.

Ale te nadzwyczajne radości zaparowanej łazienki najwyraźniej się ulotniły, gdy tylko zamknęła drzwi, a samo pranie ubrań, obserwowanie mętnej wody ściekającej z nich do otworu odpływowego wanny było rozczarowująco przyziemne. Próbowała odzyskać swój poprzedni dobry nastrój i nie gniewać się na Saeeda, który jak sobie mówiła, na swój sposób też miał trochę racji, po prostu w tym momencie nie nadawali na tych samych falach, i gdy wyszła z łazienki owinięta w ręcznik, a właściwie w ręczniki, bo jeden miała wokół ciała, a drugi na włosach, niosąc w dłoniach ociekające wodą, ale czyste ubranie, gotowa była puścić w niepamięć tę ich małą scysję.

On spojrzał jednak na nią i powiedział:

– Nie możesz tu tak stać.

– Nie mów mi, co mogę robić.

Ta uwaga wyraźnie go dotknęła, chyba nawet rozłościła, ale również Nadia była rozgniewana, a kiedy już sam wziął kąpiel i wyprał ubrania, być może w ramach pojednawczego gestu, a może dlatego, że kiedy już oczyścił się z własnego brudu, on też uzmysłowił sobie to, z czego ona wcześniej zdała sobie sprawę, spędzili noc na wąskim, pojedynczym łóżku, nie rozmawiając i nie dotykając się, a przynajmniej nie częściej, niż byli zmuszeni ze względu na ciasnotę, spędzili tę jedną noc zupełnie jak od dawna i nieszczęśliwie związani małżonkowie, małżonkowie, których wspólne życie ograniczało się do okazji do smutków i radości.

Nadia i Saeed przeszli przez drzwi w sobotni poranek, a w poniedziałek rano, kiedy do pracy przyszła gosposia, dom był już prawie pełny, zamieszkany przez mniej więcej pięćdziesięciu dzikich lokatorów, od niemowląt do osób starszych, przybyłych z miejsc położonych tak daleko na zachodzie, jak Gwatemala, i tak daleko na wschodzie, jak Indonezja. Gosposia krzyknęła, otworzywszy drzwi, i zaraz potem przyjechała policja, dwóch mężczyzn w staroświeckich czarnych kaskach, którzy jednak tylko popatrzyli na dom z zewnątrz i nie wchodzili. Wkrótce pojawiła się cała furgonetka policjantów w pełnym wyposażeniu bojowym, a potem samochód z dwoma innymi, ubranymi w białe koszule i czarne kamizelki, którzy uzbrojeni byli w coś, co wyglądało na pistolety maszynowe, a na ich czarnych kamizelkach widniał ułożony z białych liter napis policja, chociaż zdaniem Saeeda i Nadii tych dwóch wyglądało bardziej na żołnierzy.

Mieszkańcy domu byli przerażeni, większość z nich na własne oczy widziała, do czego zdolni są policjanci i żołnierze, i ogarnięci tym przerażeniem zaczęli rozmawiać ze sobą więcej, niż w innej sytuacji rozmawialiby ludzie sobie obcy. Rozwinęło się jakiś poczucie koleżeństwa, do którego by nie doszło, gdyby znajdowali się na ulicy, pod gołym niebem, bo wtedy prawdopodobnie rozproszyliby się na zasadzie ratuj się kto może, ale tutaj byli zamknięci w czterech ścianach i zostali zmuszeni do zorganizowania się, do stworzenia wspólnoty.

Kiedy policja przez megafony wezwała wszystkich do opuszczenia budynku, większość doszła wspólnie do wniosku, że tego nie zrobią, i chociaż kilka osób wyszło, przeważająca część pozostała w domu, a wśród nich Nadia i Saeed. Wyznaczona przez policję godzina opuszczenia budynku się zbliżała, potem jeszcze bardziej się zbliżyła, aż w końcu nadeszła i minęła, a oni nadal tam tkwili, policja nie przypuściła jednak szturmu i mieszkańcy odnieśli wrażenie, że udało im się uzyskać coś na kształt odroczenia, a później wydarzyło się coś, czego nigdy by się nie spodziewali: na ulicy zebrali się inni ludzie, ludzie o skórze ciemnej, mniej ciemnej, a nawet jasnej, umorusani, jak mieszkańcy obozów na Mykonos, i ci wszyscy ludzie zebrali się w tłum. Walili łyżkami w garnki i śpiewali w różnych językach, a policja wkrótce postanowiła się wycofać.

Tej nocy w domu było cicho i spokojnie, ale raz po raz można było usłyszeć piękny śpiew, jakieś urywki w języku igbo, do bardzo późna, a leżący razem i trzymający się za ręce na miękkim łóżku w ich małej sypialni na tyłach domu Saeed i Nadia czuli, że ten śpiew dodaje im otuchy, jakby to była kołysanka, dodawał im otuchy, ale i tak zamknęli na klucz drzwi sypialni. Rankiem doszedł ich z oddali głos wzywający do modlitwy, modlitwy o świcie, prawdopodobnie z zawłaszczonego odtwarzacza z funkcją karaoke, i obudzona ze snu Nadia, zanim przypomniała sobie, gdzie naprawdę jest, przestraszyła się, myśląc przez chwilę, że razem z bojownikami wróciła do domu w ich mieście, a potem z pewnym zaskoczeniem obserwowała, jak Saeed wstaje z łóżka i się modli.

_____

Domy, parki i nieużytkowane parcele zaludniały się w ten sposób w całym Londynie, niektórzy mówili o milionie migrantów, inni o liczbie dwa razy większej. Wydawało się, że im bardziej opustoszałe miejsce w mieście, tym bardziej przyciąga dzikich lokatorów, przy czym szczególnie ucierpiały niezamieszkane rezydencje w dzielnicach Kensington i Chelsea, ich nieobecni właściciele często poniewczasie dowiadywali się o problemach, a wówczas było już za późno, żeby interweniować, podobnie było na wielkich przestrzeniach Hyde Parku i Kensington Gardens, które gęsto wypełniły się namiotami oraz prymitywnymi schronieniami, tak że mówiono, że między Westminster i Hammersmith legalni mieszkańcy stanowią mniejszość, a rdzennych już prawie nie ma, lokalne gazety natomiast określały ten obszar mianem najstraszniejszych czarnych dziur w tkance narodu.

Ale chociaż ludzie wciąż napływali do Londynu, byli też tacy, którzy się z niego wynosili. Pewien księgowy w Kentish Town, człowiek bliski odebrania sobie życia, obudził się pewnego ranka i odkrył ciemność drzwi w miejscu, gdzie wcześniej było jasne wejście do małej, ale dobrze oświetlonej drugiej sypialni. W pierwszym odruchu uzbroił się w kij hokejowy, który jego córka zostawiła w szafie wraz z wieloma innymi rzeczami, porzuconymi, kiedy robiła sobie rok przerwy przed pójściem na studia, a potem wyjął telefon, żeby zadzwonić do władz, ale powstrzymał się i zastanowił, dlaczego tak się tym przejmuje, po czym odłożył kij hokejowy i telefon, napełnił wannę, jak to sobie zaplanował, i umieścił zakupiony wcześniej nóż introligatorski na półeczce w kształcie muszli, obok organicznego mydła, którego jego była narzeczona miała już nigdy nie używać.

Powtórzył sobie, że jeśli ma traktować to poważnie, musi ciąć wzdłuż, w górę przedramienia, nie w poprzek, a chociaż odrazę budziła w nim sama myśl o bólu i o tym, że zostanie znaleziony nagi, uznał, że jest to odpowiedni sposób, przemyślany i dobrze zaplanowany. Wciąż jednak niepokoiła go ta pobliska mroczność, o czymś mu przypominała, o jakimś uczuciu, o uczuciu kojarzącym mu się z książkami dla dzieci, z książkami czytanymi przez niego w dzieciństwie albo czytanymi mu przez matkę, kobietę, która delikatnie sepleniła i delikatnie go obejmowała, która, choć nie umarła zbyt młodo, zbyt wcześnie podupadła na zdrowiu, choroba odebrała jej i mowę, i osobowość, a przy okazji zabrała też jego ojca, zmieniając go w człowieka oziębłego. I kiedy tak o tym wszystkim myślał, doszedł do wniosku, że mógłby spróbować przejść przez te drzwi, tylko raz, żeby zobaczyć, co jest po drugiej stronie, i tak też uczynił.

Po jakimś czasie jego córka i jego najlepszy przyjaciel odebrali za pośrednictwem telefonów jego zdjęcie, na wybrzeżu, na którym na próżno byłoby szukać jakichś drzew, chyba pustynnym, a w każdym razie wyschniętym, z górującymi nad nim wydmami, wybrzeżu w Namibii, oraz wiadomość, w której informował, że nie zamierza wracać, ale żeby się nie martwili, bo coś poczuł, poczuł potrzebę odmiany, a oni mogą do niego dołączyć, ucieszyłby się, gdyby tak zrobili, a jeśli się na to zdecydują, drzwi znajdą w jego mieszkaniu. Po tej wiadomości zniknął i zniknął też jego Londyn, a jak długo były księgowy pozostawał w Namibii, tego nie potrafił powiedzieć nikt z jego dawnych znajomych.

Mieszkańcy domu, w którym obecnie przebywali Nadia i Saeed, zastanawiali się, czy odnieśli zwycięstwo. Rozkoszowali się tym, że mają dom, gdyż mnóstwo osób spędzało wiele miesięcy bez prawdziwego dachu nad głową, ale w głębi duszy wiedzieli też, że nikt tak łatwo nie rozstanie się z takim domem, takim pałacem, dlatego też ich poczucie ulgi było dosyć kruche.

Panujący w domu klimat kojarzył się Nadii z atmosferą akademika na początku roku szkolnego, kiedy zupełnie obcy ludzie zaczynają mieszkać bardzo blisko siebie, wielu z nich zachowuje się nienagannie, starają się ocieplić rozmowy i przybierają przyjacielskie pozy w nadziei, że z czasem te gesty staną się bardziej naturalne. Poza domem było wiele przypadkowości i chaosu, ale istniała szansa na zaprowadzenie pewnego porządku w jego wnętrzu. Może nawet na stworzenie wspólnoty. W domu były osoby brutalne, ale osoby brutalne były wszędzie, a w życiu należało sobie radzić z brutalnością. Nadia uznała, że szaleństwem byłoby oczekiwać czegoś innego.

Życie w domu bardziej działało na nerwy Saeedowi. Na Mykonos wolał trzymać się na obrzeżach obozów dla migrantów i przyzwyczaił się do pewnej niezależności od innych uchodźców. Zrobił się podejrzliwy, zwłaszcza wobec mężczyzn, których było tam wielu, i stresowało go przebywanie w tak gęstym tłumie ludzi mówiących językami, których nie rozumiał.

W przeciwieństwie do Nadii czuł się częściowo winny, że wraz z innymi współmieszkańcami zajmują nienależący do nich dom, a także winny jego wyraźnej dewastacji spowodowanej ich obecnością, obecnością ponad pięćdziesięciu mieszkańców w jednym miejscu.

Tylko on sprzeciwił się, gdy ludzie zaczęli przywłaszczać sobie wartościowe przedmioty z domu, a kiedy Nadia uznała jego zachowanie za absurdalne, a do tego potencjalnie dla niego niebezpieczne i powiedziała mu, żeby nie był idiotą, obcesowo, bynajmniej nie po to, żeby go urazić, tylko ochronić, poczuł się zszokowany tonem jej wypowiedzi i chociaż przyznał jej rację, w tym samym momencie zastanawiał się, czy ten ich nowy sposób mówienia do siebie, ta nieuprzejmość, która teraz od czasu do czasu wkradała się w ich słowa, nie świadczy o tym, dokąd oboje zmierzają.

Również Nadia zauważyła pojawiające się między nimi tarcia. Nie miała pomysłu, jak radzić sobie z cyklami rozdrażnienia, w które najwyraźniej ze sobą wkraczali, tym bardziej że gdy takie cykle raz już się zaczną, trudno je przerwać, a wręcz przeciwnie, można odnieść wrażenie, że każdy z nich obniża nieco próg irytacji w cyklu następnym, jak w wypadku niektórych alergii.

Bardzo szybko zjedzono całą żywność znajdującą się w domu. Niektórzy mieszkańcy mieli pieniądze, żeby dokupić więcej jedzenia, ale większość musiała spędzić czas na poszukiwaniach żywności, czyli na krążeniu po magazynach i stoiskach, w których różne organizacje wydawały racje żywnościowe lub bezpłatną zupę i chleb. W każdym z tych miejsc dzienne zaopatrzenie wyczerpywało się w ciągu kilku godzin, czasem nawet w ciągu kilku minut i później pozostawał tylko handel wymienny z najbliższymi sąsiadami, rodziną lub znajomymi, a ponieważ większość ludzi niewiele mogła zaoferować na wymianę, zwykle wymieniali się obietnicą czegoś do jedzenia jutro bądź pojutrze w zamian za coś do zjedzenia dziś, prowadząc handel wymienny nie tyle różnymi towarami, ale samym czasem.

PEWNEGO DNIA SAEED I NADIA wracali właśnie do domu bez jedzenia, ale ze względnie pełnymi brzuchami, po dość udanym wieczornym poszukiwaniu żywności, Nadia czuła jeszcze specyficzny słodkawy posmak i kwasowość musztardy oraz keczupu, a Saeed patrzył właśnie na telefon, kiedy usłyszeli przed sobą jakieś krzyki, zobaczyli biegnących ludzi i zdali sobie sprawę, że ich ulica została zaatakowana przez tłum narodowców, ulicę Palace Gardens Terrace ogarnęło wzburzenie zaprzeczające jej sielankowej nazwie. W oczach Nadii ten tłum jawił się jako obce i brutalne plemię, zdecydowane ich zniszczyć, uzbrojone w żelazne pręty lub noże, więc wraz z Saeedem odwrócili się i puścili biegiem, ale nie mieli szans uciec.

Nadia miała podbite oko, które wkrótce spuchło tak, że nie mogła go otworzyć, Saeed rozciętą wargę, krew spływała mu po podbródku na kurtkę, i w przerażeniu chwycili się kurczowo za ręce, żeby ich nie rozdzielono, ale zostali tylko powaleni na ziemię, jak wielu innych, a tego wieczoru w ich części Londynu

121

w zamieszkach życie straciły tylko trzy osoby, a zatem niewiele, przynajmniej według ostatnich standardów panujących w miejscach, z który pochodzili.

Rankiem poczuli, że łóżko jest dla nich za ciasne, tak byli poobcierani na skutek odniesionych urazów, Nadia odepchnęła Saeeda biodrem, żeby zrobić sobie miejsce, również Saeed się rozpychał, próbując zrobić to samo, i przez moment była na niego zła, ale kiedy odwrócili się do siebie twarzami i on dotknął jej zapuchniętego oka, ona prychnęła i dotknęła jego spuchniętej wargi, spojrzeli po sobie i milcząco zgodzili się rozpocząć dzień, nie warcząc na siebie nawzajem.

Po zamieszkach telewizja informowała o planach wielkiej operacji, która miała obejmować kolejne miasta, zaczynając od Londynu, a której celem miało być przywrócenie Brytyjczykom Wielkiej Brytanii; donoszono też, że aktualnie trwa rozmieszczanie wojsk, a także policji i tych, którzy kiedyś służyli w armii czy policji, oraz ochotników po tygodniowym szkoleniu. Saeed i Nadia słyszeli, że podobno skrajne ugrupowania narodowców tworzą własne legiony, za cichym przyzwoleniem władz, a media społecznościowe huczały od plotek o nadchodzącej nocy kryształowej, ale ponieważ zorganizowanie tego wszystkiego prawdopodobnie miało trochę potrwać, w tym czasie Saeed i Nadia musieli podjąć decyzję: czy pozostać, czy też odejść.

Po zachodzie słońca słuchali w swojej małej sypialni muzyki z telefonu Nadii, korzystając z wbudowanego w aparacie głośnika. Muzykę można było łatwo ściągnąć z różnych stron internetowych, ale ponieważ starali się oszczędzać na wszystkim, w tym na pakietach danych kupowanych do swoich telefonów, Nadia ściągała pirackie wersje, gdy tylko takie znalazła, a potem ich słuchali. Tak czy owak, cieszyła się, że może odtworzyć swoją biblioteczkę muzyczną: dotychczasowe doświadczenia przekonały ją, żeby nie ufać w stałą dostępność czegokolwiek w sieci.

Pewnej nocy włączyła album, który jak wiedziała, lubił Saeed, nagrany przez popularny w ich mieście lokalny zespół w czasach, kiedy byli jeszcze nastolatkami, i teraz Saeed słuchał tej muzyki z zaskoczeniem i radością, bo doskonale zdawał sobie sprawę, że ona nie przepada za rodzimą muzyką pop, więc niewątpliwie wybrała tę płytę dla niego.

Siedzieli po turecku na wąskim łóżku, plecami wsparci o ścianę. Wyciągnął rękę i położył ją, dłonią ku górze, na kolanie. Chwyciła jego dłoń.

– Postarajmy się nie mówić do siebie tak chamsko – powiedziała Nadia.

Uśmiechnął się.

– Obiecajmy to sobie.

– Ja obiecuję.

– Ja też.

Tej nocy zapytał ją, jak wyobraża sobie swoje wymarzone życie, czy miałoby to być w jakiejś metropolii czy na wsi, a ona spytała, czy potrafiłby sobie wyobrazić, że nie opuszczają Londynu, tylko osiedlają się w nim, i rozmawiali o tym, czy takie domy jak ten, w którym przebywali, dałoby się podzielić na normalne mieszkania, a także, czy mogliby zacząć wszystko od nowa w jakimś innym miejscu, gdzie indziej w tym mieście lub w jakimś dalekim mieście.

W noce, kiedy snuli plany, czuli, że zbliżają się do siebie, jakby toczące się wokół ważne wydarzenia zaabsorbowały ich tak bardzo, że nieco zapomnieli o bardziej przyziemnych aspektach życia, a czasami, dyskutując w sypialni o stojących przed nimi możliwościach, przerywali rozmowę i patrzyli na siebie nawzajem, jakby każde z nich przypominało sobie, kim jest ta druga osoba.

Powrót do rodzinnych stron nie wchodził w rachubę, byli też świadomi, że do podobnych scen, scen wrogości wobec migrantów, musi dochodzić w innych atrakcyjnych dla migrantów miastach leżących w innych atrakcyjnych dla migrantów krajach, więc chociaż rozważali możliwość opuszczenia Londynu, wciąż w nim pozostawali. Pojawiły się pogłoski o zacieśnianiu się kordonu, kordonu przemieszczającego się przez londyńskie dzielnice, w których było mniej drzwi, a tym samym mniej nowo przybyłych, i o wysyłaniu tych, którzy nie potrafili udowodnić, że ich pobyt jest legalny, do wielkich przejściowych obozów zorganizowanych w miejskim pasie zieleni, oraz o skupianiu pozostałych migrantów w coraz mniejszych strefach. Niezależnie od tego, czy była to prawda czy nie, w Kensington i Chelsea oraz w przyległych do tych dzielnic parkach bezsprzecznie znajdowała się stale gęstniejąca strefa migracji, i wokół tej strefy rozlokowano żołnierzy i pojazdy opancerzone, a powyżej drony i helikoptery, wewnątrz natomiast znajdowali się Nadia i Saeed, którzy już kiedyś uciekali przed wojną i teraz, nie wiedząc, dokąd dalej uciekać, tylko czekali, wciąż czekali, podobnie jak wielu innych.

A JEDNAK, PODCZAS TYCH wszystkich wydarzeń pojawiali się wolontariusze dostarczający do tej strefy jedzenie i lekarstwa, działały też agencje pomocy humanitarnej, a rząd nie zabronił ich funkcjonowania, jak to zrobiła część rządów, przed którymi migranci uciekali, i w tym można było szukać nadziei. Saeeda szczególnie wzruszyło zachowanie pewnego chłopca, rodowitego londyńczyka, ledwo po szkole albo w ostatniej klasie, który przyszedł do ich domu i podawał krople szczepionki na polio, dawał je dzieciom, ale także dorosłym, i chociaż wielu podejrzliwie podchodziło do szczepień, a jeszcze więcej osób, w tym Saeeda i Nadię, już kiedyś zaszczepiono, chłopiec wykazywał się tak wielką żarliwością, taką empatią i był tak pełen dobrych intencji, że chociaż niektórzy się opierali, nikt nie miał serca mu odmówić.

Saeed i Nadia wiedzieli, jak wygląda narastający konflikt, więc atmosfera wisząca nad Londynem w tych czasach nie była dla nich niczym nowym, i choć może nie stawiali jej czoła dzielnie, ale też nie wpadali w panikę, przynajmniej na ogół, raczej podchodzili do tego z jakąś rezygnacją przerywaną chwilami napięcia, napięcia, które opadało i się wznosiło, a kiedy napięcie słabło, zapadała cisza, taka cisza, o której mówi się, że to cisza przed burzą, która w rzeczywistości jednak stanowi podstawę ludzkiego życia, oczekując na nas między kolejnymi krokami naszego marszu ku naszej śmiertelności, kiedy jesteśmy zmuszeni zatrzymać się i nie działać, jedynie być.

Tymczasem przy Palace Gardens Terrace zakwitły wiśnie, okrywając się białym kwieciem, czymś najbardziej zbliżonym do śniegu w oczach tych nowych mieszkańców ulicy, którzy nigdy śniegu nie widzieli, a w oczach innych kojarzącym się z dojrzałą bawełną na polach, oczekującą na zbiory, czekającą na pracę, na wysiłek ciemnych ciał z okolicznych wiosek, a na tych drzewach też pojawiły się ciemne ciała, ciała dzieci wspinających się i bawiących wśród gałęzi, jak małe małpy, nie żeby ciemna skóra oznaczała podobieństwo do małpy, choć to było, jest i długo będzie złośliwie insynuowane, ale dlatego, że ludzie to małpy, które zapomniały, że są małpami, utraciły szacunek dla swoich korzeni, dla otaczającego je naturalnego świata, ale w tym momencie nie zachowywały się tak dzieci, które zachwycały się naturą, uczestnicząc w wymyślonych zabawach, zagubione w białych chmurach, jak baloniarze czy piloci, feniksy czy smoki, i choć w każdej chwili mogło dojść do rozlewu krwi, wykorzystywały te drzewa, które raczej nie miały służyć do wspinaczki, do fantazjowania na tysiąc sposobów.

Pewnej nocy w ogrodzie domu Saeeda i Nadii pojawił się lis. Saeed pokazał go Nadii przez okno ich małej sypialni, a potem razem zachwycali się widokiem tego stworzenia i zastanawiali się, jak może żyć w Londynie i skąd się tu wzięło. Kiedy pytali mieszkańców domu, czy ktoś jeszcze widział lisa, wszyscy zaprzeczali, niektórzy mówili, że być może przyszedł przez drzwi, a inni, że mógł przywędrować ze wsi, a jeszcze inni twierdzili, że w tej części Londynu żyły lisy i że to powszechnie wiadome, a jakaś staruszka powiedziała Nadii i Saeedowi, że wcale nie widzieli lisa, tylko samych siebie, swoją miłość. Rozważali, czy chciała przez to powiedzieć, że lis jest żywym symbolem, czy też, że lis nie jest realny, jest tylko iluzją, a inni w ogóle go nie widzieli.

Na wspomnienie ich miłości Saeed i Nadia poczuli się trochę nieswojo, ponieważ ostatnio ich relacje straciły wiele z romantyczności, każde czuło, że drażnią się nawzajem swoją obecnością, ale składali to na karb tego, że zbyt długo przebywali zbyt blisko siebie, w stanie nienaturalnej bliskości, która zaszkodziłaby każdemu związkowi. Zaczęli oddzielnie spędzać dni i ta forma separacji pozwalała im się odprężyć, chociaż Saeed martwił się, co się stanie, jeśli walki o usunięcie migrantów z tego terenu wybuchną niespodziewanie i oboje nie zdążą na czas wrócić do domu, z doświadczenia wiedząc, że telefon komórkowy bywa kapryśnym urządzeniem, w normalnych okolicznościach jego sygnał był jak światło słońca czy światło księżyca, ale w rzeczywistości w każdej chwili mogło dojść do jego natychmiastowego i niekończącego się zaćmienia, a Nadia martwiła się obietnicą złożoną ojcu Saeeda, którego przecież też nazywała ojcem, że zostanie z Saeedem, dopóki nie będzie bezpieczny, martwiła się, jak to będzie świadczyć o niej, jeśli nie dotrzyma obietnicy, i czy to będzie oznaczało, że jest zupełnie nic niewarta.

Ale wyzwoleni od klaustrofobicznej bliskości za dnia, osobno odkrywając okolicę, z większą serdecznością schodzili się w nocy, nawet jeśli czasem ta serdeczność bardziej przypominała uczucie łączące krewnych, a nie kochanków. Zaczęli przesiadywać na balkonie sypialni i w ciemności oczekiwać pojawienia się lisa w ogrodzie. Takie szlachetne zwierzę, szlachetne, choć lubi grzebać w śmieciach.

Gdy tak siedzieli, czasami trzymali się za ręce, a czasami całowali, a gdy raz na jakiś czas ponownie rozpalał się w nich przygasły zazwyczaj ogień, szli do łóżka, gdzie dręczyli nawzajem swoje ciała, nigdy nie zmierzając do stosunku, ale nigdy też nie czując takiej potrzeby, już nie, odprawiając odmienny rytuał, który jednak wciąż przynosił im ulgę. Potem zasypiali, a jeśli nie byli senni, wracali na balkon i czekali na lisa, który był nieprzewidywalny, mógł przyjść, mógł też nie przyjść, ale często przychodził, a oni wówczas oddychali z ulgą, bo to oznaczało, że lis nie zniknął, nie został zabity i nie wyszukał sobie nowego domu w innej części miasta. Pewnej nocy lis znalazł brudną pieluchę, wyciągnął ją z kosza i obwąchał, jakby zastanawiał się, co to może być, a potem przeciągnął ją po całym ogrodzie, zanieczyszczając trawę, raz po raz zmieniał kierunek, jak bawiący się zabawką piesek albo niedźwiedź trzymający w paszczy pechowego myśliwego, w jego ruchach była zarówno celowość, jak i dzika nieprzewidywalność, a kiedy z nią skończył, pielucha leżała w strzępach.

Tej nocy zgasło światło, władze wyłączyły elektryczność, a Kensington i Chelsea ogarnęły ciemności. Ogarnął je też przejmujący strach, a tak często słyszane wezwanie do modlitwy, docierające z położonego w oddali parku, ucichło. Podejrzewali, że odtwarzacz z funkcją karaoke, który mógł być w tym celu używany, nie działał na baterie.

8.

Sieć energetyczna w Londynie była na tyle skompliko-
wana, że w okolicach domu Saeeda i Nadii wciąż pozostało
kilka plamek nocnej jasności, w nieruchomościach na skraju
ich strefy, w pobliżu barykad i punktów kontrolnych obsadzo-
nych przez uzbrojone siły rządowe oraz w rozproszonych en-
klawach, które z jakiegoś powodu trudno było odłączyć, a także
w pojedynczych budynkach tu i ówdzie, gdzie jakiś przedsię-
biorczy migrant podłączył kable do nadal działającej linii wysokiego napięcia, ryzykując porażenie prądem, a w niektórych
wypadkach zostając nim porażony. W przytłaczającej większości
jednak wokół Saeeda i Nadii było ciemno.

Wyspa Mykonos nie była dobrze oświetlona, ale prąd
docierał wszędzie tam, gdzie przewody. W ich mieście, mieście, z którego uciekli, kiedy elektryczność znikała, to znikała
wszędzie. W Londynie były jednak miejsca jasne jak zawsze,
jaśniejsze od wszystkich miejsc widzianych przez Saeeda czy
Nadię, jarzące się światłem wędrującym w niebo i odbijającym
się od chmur, ciemne obszary miasta natomiast wydawały się
jeszcze ciemniejsze, bardziej wyraziste, tak jak czerń oceanu

nie oznacza mniejszego natężenia światła padającego z góry, ale gwałtowny spadek dna w głębinach poniżej.

W ciemnym Londynie Saeed i Nadia zastanawiali się, jak może wyglądać życie w jasnym Londynie, wyobrażali sobie ludzi jedzących kolacje w eleganckich restauracjach i jeżdżących błyszczącymi czarnymi taksówkami, a przynajmniej chodzących do pracy w biurach i do sklepów, ludzi mogących swobodnie podróżować, jak i gdzie im się podobało. W ciemnym Londynie gromadziły się niewywożone śmieci, a stacje metra były zamknięte na głucho. Pociągi jeździły nieprzerwanie i chociaż omijały stacje w pobliżu Saeeda i Nadii, można je było wyczuć przez dudnienie pod stopami i usłyszeć w niskich, mocnych częstotliwościach, niemal infradźwiękowych, jak grzmot lub daleka detonacja potężnej bomby.

W nocy, w ciemnościach, pod nieustannie krążącymi po niebie dronami, śmigłowcami i balonami obserwacyjnymi, od czasu do czasu dochodziło do starć, a także do morderstw, gwałtów i napadów. Niektórzy mieszkańcy ciemnego Londynu winą za te incydenty obarczali prowokatorów z grup narodowców. Inni obwiniali innych migrantów i w związku z tym zaczęli się przenosić, tak jak rozdane z potasowanej talii karty w trakcie rozgrywki, układając się według kolorów i sekwensów tego samego rodzaju, podobni z podobnymi do siebie, a raczej pozornie podobni z pozornie podobnymi, wszystkie kiery razem, wszystkie trefle razem, wszyscy Sudańczycy, wszyscy Honduranie.

Saeed i Nadia nigdzie się nie przenosili, ale ich dom i tak zaczął się zmieniać. Początkowo Nigeryjczycy byli największą spośród wielu grup mieszkańców, ale co jakiś czas któraś z nienigeryjskich rodzin wyprowadzała się z domu, a jej miejsce zawsze zajmowali kolejni Nigeryjczycy i z czasem ich dom zaczęto nazywać domem nigeryjskim, podobnie jak dwa sąsiadujące z nim budynki. Starsi Nigeryjczycy z tych trzech domów zbierali się w ogrodzie posiadłości po prawej stronie domu Saeeda i Nadii, nazywając te zebrania radą. Uczestniczyli w nich zarówno mężczyźni, jak i kobiety, ale jedyną rzucającą się w oczy uczestniczką, która nie miała nigeryjskiego pochodzenia, była Nadia.

Kiedy Nadia udała się tam po raz pierwszy, pozostali nie kryli zdziwienia na jej widok, nie tylko z powodu jej pochodzenia etnicznego, ale też ze względu na stosunkowo młody wiek. Na moment zapadła cisza, ale po chwili starsza kobieta w turbanie – która mieszkała z córką i wnukami w sypialni nad pokojem Saeeda i Nadii i której Nadia już nie raz pomagała wejść po schodach, jako że starsza kobieta była postury królewskiej, ale też dość potężnej – skinęła na Nadię, zapraszając ją, żeby zajęła miejsce obok niej, żeby stanęła obok krzesła ogrodowego, na którym siedziała kobieta. To najwyraźniej rozstrzygnęło sprawę i nikt już nie wypytywał Nadii ani nie prosił, żeby wyszła.

Początkowo Nadia nie nadążała za tym, co mówiono, chwytała pojedyncze słowa, jakieś urywki, ale z czasem coraz więcej rozumiała i zrozumiała też, że w rzeczywistości nie wszyscy Nigeryjczycy są Nigeryjczykami, niektórzy byli pół-Nigeryjczykami lub pochodzili z miejsc, które graniczyły z Nigerią, z rodzin zamieszkujących obie strony granicy, a ponadto, że chyba nie było kogoś takiego jak Nigeryjczyk, a już z pewnością nie było jednej wspólnej cechy narodowościowej, różni Nigeryjczycy bowiem mówili między sobą różnymi językami i wyznawali różne religie. Na tych spotkaniach rozmawiali w języku, który składał się głównie z angielskiego, ale nie tylko z angielskiego, a w każdym razie niektórzy z nich lepiej znali angielski niż inni. Ponadto mówili różnymi odmianami angielskiego, różnymi angielskimi, więc kiedy Nadia wyrażała swoje zdanie czy opinię w ich towarzystwie, nie musiała obawiać się, że jej poglądy mogą nie zostać zrozumiane, gdyż jej angielski był taki sam jak ich, był jednym z wielu.

Działalność rady była dość prozaiczna, podejmowano decyzje dotyczące sporów w pokojach lub oskarżeń o kradzieże czy naruszanie zasad dobrosąsiedztwa, a także odnośnie do relacji z innymi domami na ulicy. Rozmowy okazywały się często długie i skomplikowane, więc spotkania nie były szczególnie ekscytujące. A jednak Nadia nie mogła się ich doczekać. Stanowiły dla niej coś nowego, oznaczały narodziny czegoś nowego i zauważyła, że ci ludzie, zarówno podobni, jak i niepodobni do tych, których znała w swoim mieście, są jej znani i nieznani, uważała ich za interesujących i poczytywała sobie tę ich pozorną akceptację, a przynajmniej tolerowanie jej, za zaszczyt, pewnego rodzaju osiągnięcie.

Wśród młodszych Nigeryjczyków Nadia uzyskała dosyć szczególny status, być może dlatego, że widzieli ją z ich starszyzną, a może ze względu na jej czarną burkę, i młodsi nigeryjscy mężczyźni i kobiety oraz starsi nigeryjscy chłopcy i dziewczęta, ci, którzy zawsze byli gotowi zadrwić sobie z wielu innych mieszkańców domu, rzadko mówili do niej czy też o niej w taki sposób, przynajmniej w jej obecności. Nikt nie zaczepiał jej, kiedy wchodziła do zatłoczonych pokoi i korytarzy czy kiedy z nich wychodziła, nikt z wyjątkiem jej rówieśniczki, nigeryjskiej kobiety, której usta się nie zamykały, kobiety w skórzanej kurtce, z wyszczerbionym zębem, mającej zwyczaj stać jak rewolwerowiec, z wypchniętymi do przodu biodrami, z rozpiętym paskiem i rękami zwisającymi po bokach, i która nikomu nie szczędziła słownych ataków, a jej komentarze ciągnęły się za człowiekiem, nawet gdy już ją minął i zostawiał za sobą.

Sytuacja Saeeda była jednak mniej komfortowa. Ponieważ był młodym mężczyzną, od czasu do czasu inni młodzi mężczyźni mierzyli go wzrokiem, jak to mają w zwyczaju młodzi mężczyźni, a to niepokoiło Saeeda. Nie dlatego, że nie spotkał się z czymś podobnym w swoim kraju, bo to się nieraz zdarzało, ale dlatego, że w tym domu był jedynym mężczyzną pochodzącym ze swojego kraju, a ci, którzy mierzyli go wzrokiem, pochodzili z innego kraju, i było ich dużo więcej, on natomiast był sam. Dotykało to w nim czegoś na najbardziej podstawowym poziomie, czegoś związanego z jego tożsamością etniczną, i sprawiało, że czuł napięcie oraz pewnego rodzaju tłumiony strach. Nie wiedział, kiedy i czy w ogóle może się odprężyć, a poza ich sypialnią, na terenie domu, rzadko czuł się swobodnie.

Pewnego razu, gdy Nadia była na spotkaniu rady, wracając samotnie do domu, napotkał w korytarzu kobietę w skórzanej kurtce, tarasującą mu drogę swoją wąską, ostrą bryłą; stała wsparta plecami o ścianę i opierała stopę na przeciwległej. Saeed nigdy by się do tego nie przyznał, ale budziła w nim grozę swoją siłą, szybkością i nieprzewidywalnością wypowiadanych słów, słów, których często nie rozumiał, ale które budziły śmiech innych. Zatrzymał się i czekał, aż ona się ruszy, żeby zrobić mu miejsce i pozwolić przejść. Ale się nie ruszyła, więc powiedział: przepraszam, na co ona zapytała, dlaczego ją przeprasza, powiedziała coś jeszcze, ale zrozumiał tylko to zdanie. Saeed był nie tylko zły, że ona bawi się z nim w kotka i myszkę, ale też trochę przestraszony i zastanawiał się, czy się nie wycofać i nie wrócić później. Ale w tym momencie zdał sobie sprawę, że stoi za nim jakiś człowiek, groźnie wyglądający nigeryjski mężczyzna. Saeed słyszał, że podobno ten człowiek ma pistolet, co prawda nie widział, żeby nosił go przy sobie, lecz wielu migrantów w ciemnym Londynie zaczęło nosić noże i inną broń, uważając, że są oblężeni i w każdej chwili mogą zostać zaatakowani przez siły rządowe, a ponadto niektórzy z nich mieli noszenie broni we krwi, a ponieważ robili to tam, skąd pochodzili, więc kontynuowali to również tutaj, a Saeed przypuszczał, że jednym z takich ludzi był właśnie ten mężczyzna.

Saeed chciał się rzucić do ucieczki, ponieważ jednak nie miał dokąd uciekać, starał się nie okazywać paniki, ale nieoczekiwanie kobieta w skórzanej kurtce zdjęła stopę z muru i przed Saeedem otworzyło się przejście, więc przecisnął się, ocierając się o jej ciało i czując w tym momencie, jak kurczy się jego poczucie męskości, a gdy w końcu znalazł się sam w pokoju, który zajmował z Nadią, usiadł na łóżku, serce biło mu gwałtownie, chciał krzyczeć i skulić się w kącie, ale oczywiście nie zrobił ani jednego, ani drugiego.

Za zakrętem, na Vicarage Gate, stał dom, o którym wiedziano, że mieszkają w nim ludzie z kraju Saeeda. Saeed zaczął więc spędzać tam więcej czasu, zwabiony znajomymi językami i akcentami oraz znajomym zapachem z kuchni. Pewnego popołudnia był tam w porze modlitwy i dołączył do swoich rodaków modlących się w ogrodzie na tyłach domu, pod błękitnym niebem, które zdawało się zdumiewająco błękitne, jak niebo z innego świata, wolne od unoszącego się w powietrzu pyłu miasta, gdzie spędził całe życie, a także spoglądając w kosmos z wyższej szerokości geograficznej, z innego miejsca na wirującej Ziemi, bliżej jej bieguna niż równika, a więc przelotnie ujrzeć próżnię pod innym kątem, bardziej niebieskim kątem, a kiedy się modlił, czuł, że modlitwa w ogrodzie tego domu, wraz z tymi ludźmi, zdaje mu się jakaś inna. Sprawiała, że czuł się częścią czegoś, nie tylko czegoś duchowego, ale czegoś ludzkiego, częścią tej grupy, i przez chwilę, chwilę rozdzierająco bolesną, jego myśli powróciły do ojca, a potem czarnobrody mężczyzna z dwoma białymi kępkami po obu stronach podbródka, kępkami jak u wielkiego kota lub wilka, otoczył Saeeda ramieniem i powiedział: bracie, czy chciałbyś herbaty.

Tego dnia Saeed poczuł, że naprawdę został zaakceptowany przez ten dom, i pomyślał, że mógłby zapytać mężczyznę z brodą o białych kępkach, czy znajdzie się tam miejsce dla niego i Nadii, którą nazwał swoją żoną. Mężczyzna odpowiedział, że zawsze znajdzie się miejsce dla brata i siostry, choć niestety nie ma dla nich osobnego pokoju, ale Saeed może spać z nim i kilkoma innymi mężczyznami na podłodze salonu, pod warunkiem, że nie przeszkadza mu spanie na podłodze, a Nadia mogłaby zamieszkać na górze z kobietami, niestety, nawet on i jego żona zostali rozdzieleni w ten sposób, chociaż byli tu wśród pierwszych mieszkańców, ale to jedyny cywilizowany sposób, żeby umieścić w domu tak wiele osób, i to jedynie słuszne rozwiązanie.

Kiedy Saeed podzielił się z Nadią tą dobrą wiadomością, ona bynajmniej nie zareagowała, jakby to była dobra wiadomość.

– Z jakiej racji mielibyśmy chcieć się przeprowadzać? – zapytała.

– Żeby być z takimi ludźmi jak my – odparł Saeed.

– A niby dlaczego oni są tacy jak my?

– Pochodzą z naszego kraju.

– Z kraju, z którego kiedyś pochodziliśmy.

– Tak. – Saeed starał się nie okazywać zdenerwowania.

– Wynieśliśmy się z tego miejsca.

– To nie znaczy, że nic nas z nim nie łączy.

– Oni nie są tacy jak ja.

– Nawet ich nie znasz.

– Nie muszę. – Zdenerwowana powoli wypuściła powietrze. – Tutaj mamy swój własny pokój – powiedziała łagodniejszym tonem. – Tylko we dwoje. To duży luksus. Dlaczego mielibyśmy z tego rezygnować, żeby spać osobno? Pośród kil-kudziesięciu obcych?

Saeed nie potrafił na to odpowiedzieć. Kiedy później się nad tym zastanawiał, sam się dziwił, że mógł chcieć zrezygnować z ich sypialni na rzecz dwóch oddzielnych miejsc, z rozdzielającą ich barierą, tak jak wtedy, gdy mieszkali w domu jego rodziców, w czasach, o których teraz myślał z pewnym sentymentem, mimo ówczesnych wszystkich okropności, z sentymentem ze względu na to, co wówczas czuł do Nadii, a ona czuła do niego i jak czuli się razem. Nie upierał się przy swoim, ale kiedy tej nocy w łóżku Nadia przybliżyła twarz do jego twarzy, dosta-tecznie blisko, żeby połaskotać jego usta swym oddechem, nie potrafił wykrzesać entuzjazmu, żeby pokonać tę maleńką od-ległość, która przeszkadzała ich pocałunkowi.

KAŻDEGO DNIA PRZELATUJĄCY po niebie myśliwiec hukiem przypominał mieszkańcom ciemnego Londynu o technolo-gicznej wyższości ich przeciwników, o rządowych wojskach i siłach narodowców. Na obrzeżach zamieszkanego przez nich terenu Saeed i Nadia czasem widywali czołgi, pojazdy opance-rzone i urządzenia komunikacyjne, a także roboty, które cho-dziły lub czołgały się jak zwierzęta, transportując wojskowe ładunki, ćwicząc rozbrajanie materiałów wybuchowych albo przygotowując się do wykonywania innych nieznanych zadań. Zwłaszcza te roboty, choć nieliczne, a także drony nad głowami, były przerażające, bardziej przerażające niż samoloty myśliwskie i czołgi, ponieważ wskazywały na niepowstrzymaną skuteczność, nieludzką moc i wywoływały strach, jaki czuje mały ssak przed drapieżnikiem zupełnie innego rzędu, jaki musi czuć gryzoń stojący przed wężem.

Na spotkaniach rady Nadia słuchała starszych, którzy rozważali, co należy zrobić, gdy w końcu rozpocznie się operacja wysiedlania. Wszyscy zgodzili się, że najważniejsze jest zapanować nad porywczością młodzieży, gdyż zbrojny opór prawdopodobnie skończyłby się rzezią, a z pewnością najwłaściwszą reakcją będzie niestosowanie przemocy, zawstydzające atakujących i zmuszające ich do cywilizowanego postępowania. Zgodzili się z tym wszyscy z wyjątkiem Nadii, niezdecydowanej, co myśleć, widziała bowiem, co się dzieje z ludźmi, którzy się poddają, widziała to, kiedy jej dawne miasto podporządkowało się bojownikom, i uważała, że młodzi ludzie dysponujący bronią palną, nożami, pięściami i zębami mają prawo z tego wszystkiego korzystać, a czasami jedynie dzięki zaciekłości ktoś mały może się obronić przed drapieżnością wielkiego. Ale zauważała też mądrość w słowach starszych, miała więc wątpliwości.

Również Saeed miał wątpliwości. Ale w pobliskim domu jego rodaków człowiek z brodą o białych kępkach mówił o męczeństwie, nie traktując tego jako najbardziej pożądanego skutku, ale jako jedną z możliwych dróg, którą sprawiedliwi muszą podążać, kiedy nie mają innego wyboru, i apelował, by migranci łączyli się podług zasad religijnych, przekraczając podziały rasowe, językowe czy narodowe, cóż bowiem takie podziały znaczyły w świecie pełnym drzwi, jedyne podziały, które miały teraz jakiekolwiek znaczenie, to podziały na tych, którzy szukali prawa do przejścia, i tych, którzy przejścia im zabraniali, a w takim świecie religia ludzi prawych musi bronić tych, którzy szukają przejścia. Saeed czuł się rozdarty, ponieważ te słowa go poruszyły, wzmacniały i nie były to barbarzyńskie słowa bojowników w jego ojczyźnie, bojowników, przez których nie żyła jego matka i prawdopodobnie obecnie już też ojciec, ale jednocześnie to zgromadzenie mężczyzn zwabionych słowami człowieka z brodą o białych kępkach chwilami faktycznie przywodziło mu na myśl bojowników i kiedy się nad tym zastanawiał, czuł, że coś się w nim rozkłada, jakby gnił od środka.

W domu jego rodaków była broń, przybywała przez drzwi, i z każdym dniem było jej coraz więcej. Saeed przyjął zaoferowany mu pistolet, wolał pistolet niż karabin, bo mógł go ukryć, choć w głębi duszy nie potrafiłby powiedzieć, czy wziął pistolet, żeby go chronił przed narodowcami czy przed Nigeryjczykami, jego własnymi sąsiadami. Rozbierając się tej nocy, nie wspominał o nim Nadii, ale też nie ukrywał go przed nią, i kiedy zobaczyła pistolet, myślał, że zrobi mu awanturę, a przynajmniej będzie starała się mu to wyperswadować, bo wiedział, co postanowiła rada. Ale tego nie zrobiła.

Patrzyła tylko na niego, a kiedy on spojrzał na nią, ujrzał ją w jej zwierzęcej postaci, dostrzegł obcość jej twarzy i ciała, a ona ujrzała jego obcość, ale gdy wyciągnął do niej ręce, podeszła do niego, podeszła, chociaż jakby lekko się odsunęła, a ich seksualne zbliżenie pełne było wzajemnej przemocy i wzajemnego podniecenia, czegoś w rodzaju zdumionego, niemal bolesnego zaskoczenia.

Dopiero kiedy Nadia zasnęła, Saeed, leżąc w świetle księżyca, które przedzierało się między żaluzjami i wokół ich krawędzi, zdał sobie sprawę, że nie ma pojęcia, ani jak używać pistoletu, ani jak o niego dbać, nie miał o tym najmniejszego pojęcia, wiedział jedynie, że pociągnięcie za spust powinno doprowadzić do wystrzału. Uzmysłowił sobie, że zachowuje się idiotycznie i że następnego dnia musi zwrócić broń.

W CIEMNYM LONDYNIE ROZKWITAŁ handel energią elektryczną, prowadzony przez tych, którzy żyli w strefach z prądem, dzięki czemu Saeed i Nadia mogli od czasu do czasu naładować telefony, a udając się na obrzeża swojej okolicy, złapać silny sygnał i tak jak wielu innych dowiadywać się w ten sposób, co się dzieje na świecie, i pewnego razu Nadia, siedząca na schodach budynku i czytająca wiadomości w telefonie, naprzeciw ustawionego po drugiej stronie ulicy oddziału wojska i czołgu, odniosła wrażenie, że zobaczyła w Internecie swoje zdjęcie, siedzącej na schodach budynku, czytającej wiadomości w telefonie naprzeciw ustawionego po drugiej stronie ulicy oddziału wojska i czołgu, więc zaskoczona zastanawiała się, jak to możliwe, jak może zarówno czytać wiadomości i jednocześnie być w wiadomościach i jak gazeta mogła tak od razu opublikować jej wizerunek, rozejrzała się nawet w poszukiwaniu fotografa, doznając osobliwego wrażenia zaginającego się wokół niej czasu, jakby była z przeszłości i czytała o przyszłości albo była z przyszłości i czytała o przeszłości, niemal przekonana, że gdyby w tej chwili wstała

i poszła do domu, okazałoby się, że są dwie Nadie, rozdzieli-
łaby się na dwie Nadie, jedna pozostałaby na stopniach i dalej
czytała, a druga poszłaby do domu, a życie tych dwóch różnych
osób potoczyłoby się dwiema różnymi ścieżkami, i już myślała,
że traci równowagę wewnętrzną, a może rozum, gdy jednak
powiększyła obraz, zobaczyła, że czytająca w jej telefonie wiadomości kobieta w czarnej burce to w rzeczywistości nie ona.

W tych czasach w wiadomościach pełno było doniesień
o wojnie, migrantach i narodowcach, a także o podziałach,
o regionach odrywających się od państw i o miastach odrywających się od dalej położonych obszarów, i można było odnieść
wrażenie, że w miarę jak wszyscy się gromadzą, jednocześnie
wszyscy się też rozdzielają. Pozbawione granic kraje wydawały
się nieco iluzoryczne, a ludzie kwestionowali rolę, jaką miały
odgrywać państwa. Wielu uważało, że mniejsze jednostki są
bardziej racjonalne, ale inni twierdzili, że mniejsze jednostki
nie są w stanie się obronić.

Czytając ówczesne wiadomości, łatwo było dojść do
wniosku, że naród jest jak ktoś z rozszczepieniem osobowości,
której jedna część nalega na zjednoczenie, a inna na rozpad,
a ponadto skóra tego kogoś z rozszczepieniem osobowości zdaje
się rozpuszczać, kiedy ów ktoś wraz z innymi ludźmi, których
skóra również się rozpuszcza, pływa zanurzona w jednym kotle.
Nawet Wielka Brytania nie była odporna na to zjawisko, niektórzy nawet mówili, że Wielka Brytania już się podzieliła, jak
człowiek z odciętą głową, który wciąż jeszcze stoi, a inni mówili, że Wielka Brytania to wyspa, a wyspy przetrwają, nawet

jeśli przybywający na nią ludzie się zmieniają, bo tak było od tysiącleci i tak też będzie przez następne tysiąclecia.

Tym, co w obecnej sytuacji najbardziej uderzyło Nadię, była zaciekłość narodowców opowiadających się za masową rzezią, a uderzyło ją to tak bardzo, bo znała coś takiego z przeszłości, przypominało bowiem zaciekłość bojowników w jej własnym mieście. Zastanawiała się, czy jej i Saeedowi udało się cokolwiek osiągnąć dzięki przenosinom, czy mimo zmiany otaczających ich twarzy i budynków ich trudne położenie wcale się nie zmieniło.

Ale kiedy zobaczyła wokół siebie tych wszystkich ludzi, o tylu różnych kolorach, w tych wszystkich różnych strojach, poczuła ulgę, lepiej tu niż tam, pomyślała i uzmysłowiła sobie, że praktycznie przez całe życie była przykuta do swego miejsca urodzenia i że ten czas już minął, nadszedł nowy czas i obojętnie, czy ją to niepokoiło czy nie, rozkoszowała się tym, jak wiatrem wiejącym w jej twarz w gorący dzień, kiedy jadąc motocyklem, podnosiła osłonę kasku i wystawiała twarz na kurz, zanieczyszczenia i małe robaki, które czasem wpadają do ust i sprawiają, że człowiek się wzdraga, a nawet pluje, ale po splunięciu uśmiecha się, i to z dziką radością.

Drzwi stanowiły wybawienie również dla innych osób. Na wzgórzach nad Tijúaną stał sierociniec zwany po prostu Domem Dziecka, być może dlatego, że w zasadzie nie był to sierociniec. A może nie tylko sierociniec, chociaż tak właśnie mówili na niego studenci college'u zza granicy, którzy czasami przyjeżdżali pracować tu społecznie przy malowaniu, stolarce, montażu i szpachlowaniu ścian gipsowych. Wiele dzieci w domu dziecka miało jednak przynajmniej jednego żyjącego rodzica czy rodzeństwo, wuja lub ciotkę. Najczęściej ci krewni pracowali po drugiej stronie granicy, w Stanach Zjednoczonych, a ich nieobecność miała trwać, dopóki dziecko nie będzie dostatecznie duże, żeby nie spróbować przejść na drugą stronę, lub do czasu, kiedy krewny będzie już na tyle zmęczony, żeby wrócić, bądź w niektórych wypadkach, i to dosyć częstych, wiecznie, ponieważ i życie, i jego koniec są nieprzewidywalne, szczególnie jeśli patrzy się z pewnego dystansu, kiedy wydaje się, że śmierć przychodzi w sobie tylko znanym celu.

Dom stał na grzbiecie wzgórza, na jego szczycie, frontem do ulicy. Na tyłach znajdował się ogrodzony siatką i częściowo wybetonowany plac zabaw, wychodzący na spaloną słońcem dolinę, na którą wychodziły też inne niskie domostwa przy tej ulicy, niektóre wzniesione na palach, jakby wcinały się w morze, tworząc osobliwy efekt, zważywszy na okoliczną suchość i brak wody. Ale do położonego na zachód Pacyfiku było tylko kilka godzin piechotą, a poza tym pale miały swoje uzasadnienie, biorąc pod uwagę charakter terenu.

W pobliskim barze, mimo że w takim miejscu raczej nie spotyka się młodych kobiet, z czarnych drzwi wyłoniła się młoda kobieta. Właściciel lokalu nie przejął się tym specjalnie, w końcu takie były czasy, a gdy tylko młoda kobieta się wyłoniła, zaraz się podniosła i poszła do sierocińca. Tam odnalazła inną młodą kobietę, a raczej dojrzałą dziewczynę, i wówczas młoda kobieta przytuliła tę dziewczynę, którą rozpoznała tylko dlatego, że przez tak wiele lat widywała ją na elektronicznych wyświetlaczach, na ekranach telefonów i komputerów, a dziewczyna przytuliła matkę, ale zaraz się spłoszyła.

Matka dziewczyny spotkała się z dorosłymi, którzy prowadzili sierociniec, a także z wieloma dziećmi, które wpatrywały się w nią i szczebiotały jak najęte, jakby coś zwiastowała, co oczywiście było prawdą, bo jeśli ona przyszła, to i inni też mogą przyjść. Tego wieczoru na kolację był ryż i odsmażana fasola, podane na papierowych talerzach i spożywane na stołach ustawionych w rząd, z ławkami po obu stronach, a matka dziewczyny usiadła pośrodku, jak dostojnik lub święta figura, i snuła opowieści, a niektóre dzieci, jak to dzieci, wyobrażały sobie, że te historie przydarzyły się ich matkom, teraz lub wcześniej, kiedy ich matki jeszcze żyły.

Przybyła tego dnia matka spędziła noc w sierocińcu, żeby jej córka mogła się pożegnać. A potem matka i córka poszły do baru, właściciel wpuścił je do środka, kręcąc głową, ale jednocześnie się uśmiechając, a jego uśmiech wykręcał mu wąsy i sprawiał, że przez chwilę jego srogie oblicze zrobiło się głupkowate, a zaraz potem matka i jej córka zniknęły.

Tymczasem w Londynie Saeed i Nadia usłyszeli, że w mieście rozmieszczono ściągnięte z całego kraju i w pełni zmobilizowane formacje wojskowe i paramilitarne. Wyobrażali sobie pułki brytyjskie ze staroświeckimi nazwami i nowoczesnym ekwipunkiem, gotowe złamać wszelki opór, jaki mogłyby napotkać. Zapowiadało się na masakrę. Oboje wiedzieli, że bitwa w Londynie będzie beznadziejnie jednostronna, i podobnie jak wielu innych, nie oddalali się zbytnio od domu.

Operacja likwidacji getta migrantów, w którym znaleźli się Saeed z Nadią, zaczęła się niepomyślnie, już bowiem w ciągu kilku sekund postrzelony w nogę został jeden z policjantów, gdy jego jednostka ruszyła na zajęte przez migrantów kino w okolicy monumentu Marble Arch, a potem rozległy się beznamiętne dźwięki strzelaniny, nadciągającej z tamtej strony, ale też z innych okolic, narastającej coraz bardziej i bardziej wszędzie wokół, a Saeed, którego te wydarzenia zaskoczyły na dworze, pędem wrócił do domu, ale zastał ciężkie drzwi frontowe zamknięte, więc walił w nie, dopóki się nie otworzyły i Nadia nie wciągnęła go do środka, zatrzaskując je zaraz za nim.

Poszli do swojego pokoju na tyłach domu, oparli materac pionowo o okno, a następnie usiedli razem w kącie i czekali. Słyszeli helikoptery, coraz intensywniejszą strzelaninę oraz wezwania, żeby spokojnie opuszczać teren, płynące z głośników tak mocnych, że od ich dźwięku podłoga się trzęsła, przez szczelinę między materacem a oknem zobaczyli tysiące spadających z nieba ulotek, po chwili ujrzeli też dym i poczuli swąd spalenizny, a potem wszystko ucichło, tylko dym i zapach unosiły się przez długi czas, zwłaszcza zapach, czuć go było nawet wtedy, gdy zmienił się kierunek wiatru.

Tej nocy rozeszła się plotka, że w pożarze kina spłonęło ponad dwustu migrantów, dzieci, kobiety i mężczyźni, a zwłaszcza dzieci, tak wiele dzieci, i niezależnie, czy była to prawda czy nie, czy też prawdziwa była jakakolwiek inna plotka, o rzezi w Hyde Parku, w Earl's Court czy w pobliżu ronda Shepherd's Bush, o licznie umierających migrantach, niezależnie, czy coś takiego się wydarzyło, coś musiało się wydarzyć, bo wszystko ustało, a żołnierze, policjanci i ochotnicy, którzy weszli na obrzeża getta, cofnęli się i tej nocy nie słychać już było wystrzałów.

Następnego dnia panowała cisza, podobnie też kolejnego, i drugiego dnia ciszy Saeed i Nadia zdjęli materac z okna, a potem odważyli się wyjść na zewnątrz i pójść na poszukiwanie jedzenia, nic jednak nie udało im się znaleźć. Składy i jadłodajnie pozamykano. Nieco żywności docierało przez drzwi, ale zdecydowanie mniej, niż było potrzebne. Na spotkaniu rady zdecydowano o zarekwirowaniu całego prowiantu znajdującego się w trzech domach i następnie racjonowaniu go, przede wszystkim dzieciom, a Saeed i Nadia jednego dnia dostali po garści migdałów, a drugiego puszkę śledzi do podziału.

SIEDZIELI NA ŁÓŻKU, patrzyli w deszcz i po raz kolejny rozmawiali o końcu świata, Saeed ponownie głośnio się zastanawiał, czy miejscowi naprawdę ich zabiją, a Nadia ponownie powtórzyła, że miejscowi są tak przerażeni, że mogą posunąć się do wszystkiego.

– Ja to nawet rozumiem – powiedziała. – Wyobraź sobie, że tu mieszkasz. I nagle przybywają tu miliony ludzi z całego świata.

– Do naszego kraju też przybyły miliony – odpowiedział Saeed. – Gdy w pobliżu toczyły się wojny.

– To co innego. Nasz kraj był biedny. Nie odczuwaliśmy, że mamy tak wiele do stracenia.

Na balkonie deszcz dzwonił w garnkach i patelniach, a Saeed lub Nadia regularnie wstawali, otwierali okno i zanosili dwa naczynia do łazienki, gdzie opróżniali je do zakorkowanej wanny, która decyzją rady została przeznaczona na element awaryjnego systemu zaopatrzenia w wodę po tym, jak wyschły krany.

Nadia obserwowała Saeeda i zastanawiała się, zresztą nie po raz pierwszy, czy sprowadziła go na manowce. Pomyślała, że być może ostatecznie się wahał, czy opuścić miasto, i że być może mogła przekonać go zarówno do jednego, jak i drugiego rozwiązania, pomyślała też, że on jest z gruntu dobrym i przyzwoitym człowiekiem, a gdy tylko spojrzała w jego wpatrzoną w deszcz twarz, natychmiast przepełniła ją litość dla niego i zdała sobie sprawę, że nigdy wcześniej nie żywiła do nikogo na świecie tak mocnego współczucia jak do Saeeda w tamtych dniach tych pierwszych miesięcy, kiedy mu najmocniej współczuła.

Z kolei Saeed ze swojej strony żałował, że nie może nic zrobić dla Nadii, że nie może ochronić jej przed tym, co nadejdzie, nawet jeśli rozumiał, przynajmniej do pewnego stopnia, że kochać to znaczy pogodzić się z nieuchronnością tego, iż pewnego dnia nie będzie się w stanie chronić tego, co jest dla nas najcenniejsze. Uważał, że ona zasługuje na coś lepszego, ale nie widział żadnego wyjścia, bo przecież postanowili nie uciekać, nie ryzykować kolejnego odejścia. Nieustanna ucieczka przekracza możliwości większości ludzi: nawet ścigane zwierzę w pewnym momencie zatrzymuje się wyczerpane i oczekuje na swój los, choćby tylko przez chwilę.

– Jak myślisz, co się dzieje, kiedy umierasz? – spytała Nadia.

– To znaczy po śmierci?

– Nie, nie po. Kiedy umierasz. W momencie śmierci. Czy wszystko po prostu staje się czarne jak ekran wyłączanego telefonu. Może wpadasz w jakiś dziwny stan pośredni, tak jak kiedy zasypiasz, i jesteś i tu, i tam?

Saeed pomyślał, że to zależy od tego, jak się umiera. Ale widząc, że Nadia go obserwuje, kiedy skupiał się nad odpowiedzią, odparł:

– Myślę, że to jak zasypianie. Śnisz, zanim odejdziesz.

W tym momencie mógł jej zaoferować tylko taką ochronę. Nadia uśmiechnęła się na te słowa, obdarzyła go ciepłym, jasnym uśmiechem, a on zastanawiał się, czy mu uwierzyła, czy też myślała, nie, kochany, wcale tak nie uważasz.

ALE MINĄŁ TYDZIEŃ. A potem drugi. A potem narodowcy i ich siły się wycofali.

Być może doszli do wniosku, że nie są zdolni zrobić tego, co powinni zrobić, zapędzić migrantów w pułapkę i utoczyć im krwi, a tam, gdzie to konieczne, ich wyrżnąć, i stwierdzili, że trzeba znaleźć inny sposób. Być może w końcu pojęli, że nie da się zamknąć drzwi, że ciągle będą się otwierać nowe, i zrozumieli, że negacja współistnienia wymagałaby tego, żeby jedna

strona przestała istnieć, a w trakcie takiego procesu strona do-
konująca eksterminacji również uległaby przemianie i zbyt wielu
miejscowych rodziców nie mogłoby później spojrzeć w oczy
swoim dzieciom, z podniesioną głową mówić o tym, co zrobiło ich pokolenie. A może już sama liczba miejsc, gdzie były
drzwi, sprawiła, że walka o którekolwiek z nich nie miała sensu.

I tak, niezależnie od przyczyn, tym razem wygrała przy-
zwoitość, a także męstwo, bo trzeba odwagi, żeby nie zaatakować, gdy w grę wchodzi strach, i powróciły prąd oraz woda,
rozpoczęły się negocjacje i gdy wieść o tym się rozeszła, Saeed,
Nadia i ich sąsiedzi świętowali, świętowali długo w nocy wśród
wiśni przy Palace Gardens Terrace.

9.

Tego lata Saeed i Nadia mieli wrażenie, że cała planeta się przenosi, większość światowego południa zmierzała ku światowej północy, ale również mieszkańcy południa przenosili się do innych miejsc na południu, a mieszkańcy północy przenosili się do innych miejsc na północy. W uprzednio chronionym pasie zieleni wokół Londynu powstawał pierścień nowych miast, miast, które miały pomieścić więcej ludzi niż sam Londyn. To przedsięwzięcie budowlane nazwano Londyńską Aureolą, kolejną z niezliczonych ludzkich aureoli, satelitów i konstelacji wyrastających w kraju i na świecie.

W tych cieplejszych miesiącach Saeed i Nadia znaleźli się właśnie w takim miejscu, w jednym z obozów robotniczych, i ciężko tam pracowali. W zamian za pracę przy oczyszczaniu terenu, budowie infrastruktury i montażu domostw z prefabrykatów obiecano migrantom tak zwane czterdzieści metrów i rurę (niczym obiecywane byłym niewolnikom czterdzieści akrów i muła): dom na działce o powierzchni czterdziestu metrów kwadratowych i podłączenie do wszystkich nowoczesnych udogodnień.

Wspólnie uzgodniono, a następnie wprowadzono podatek terminowy; na tej podstawie część przychodów i pracy osób niedawno przybyłych na wyspę trafiała do tych, którzy byli tu od dziesięcioleci, a sam podatek kurczył się w obu kierunkach, z jednej strony stając się coraz mniejszym obciążeniem, im dłużej się mieszkało, a z drugiej w późniejszym okresie coraz większą dotacją. Początkowo zapanował powszechny chaos, a konflikt nie zniknął z dnia na dzień, utrzymywał się i chwilami wzbierał, ale raporty o jego utrzymywaniu się i wzbieraniu nie były już tak apokaliptyczne, i choć część migrantów nadal nie chciała opuścić nieruchomości, do których nie mieli żadnych praw, a niektórzy migranci, jak również niektórzy narodowcy nadal detonowali bomby, zdarzały się też ataki nożowników i strzelaniny, Saeed i Nadia mieli wrażenie, że w sumie dla większości ludzi, przynajmniej w Wielkiej Brytanii, życie toczyło się w dosyć bezpiecznych warunkach.

Obóz robotniczy Saeeda i Nadii otoczony był ogrodzeniem. Wewnątrz znajdowały się odporne na wiatr i deszcz duże pawilony z przypominającego plastik szarego materiału, wsparte na metalowych kratownicach w taki sposób, że każdy z pawilonów wznosił się wysoko, dzięki czemu był w środku przestronny i widny. Zajmowali we dwoje niewielką przestrzeń w jednym z tych służących za sypialnie pawilonów, oddzieloną zasłoną, którą zawieszono na biegnących tak wysoko kablach, że Saeed musiał się wyprostować, żeby do nich sięgnąć, a nad nimi była pusta przestrzeń, jakby dolna część pawilonu stanowiła otwarty od góry labirynt lub kompleks sal operacyjnych wielkiego szpitala polowego.

Jedli skromnie, posiłki składały się ze zbóż i warzyw, do tego nieco nabiału, a jeśli mieli szczęście, trafiały się soczyste owoce lub trochę mięsa. Stale odczuwali, co prawda, lekki głód, ale spali dobrze, ponieważ praca trwała długo i była ciężka. Pierwsze domostwa zbudowane przez pracowników z ich obozu były prawie gotowe, a ponieważ Saeed i Nadia znajdowali się niezbyt daleko na liście oczekujących, mogli się spodziewać, że pod koniec jesieni przeprowadzą się do własnego domu. Pęcherze na ich dłoniach stwardniały i przekształciły się w zgrubienia, a i deszcz już im tak obojgu nie przeszkadzał.

Pewnej nocy, śpiąc na łóżku polowym obok Saeeda, Nadia miała sen; przyśniła jej się dziewczyna z Mykonos, we śnie Nadia wróciła do domu, w którym po raz pierwszy pojawili się w Londynie, poszła na górę i przeszła przez drzwi z powrotem na grecką wyspę, kiedy zaś się obudziła, lekko zdyszana, poczuła, że jej ciało jest dziwnie pobudzone, a może zaniepokojone, w każdym razie odmienione, bo sen zdawał się tak prawdziwy, a później od czasu do czasu wracała myślami na Mykonos.

SAEED Z KOLEI CZĘSTO śnił o ojcu, dowiedziawszy się o jego śmierci od kuzyna, któremu niedawno udało się uciec z ich miasta i z którym Saeed połączył się za pomocą mediów społecznościowych, kiedy kuzyn już osiedlił się w okolicach Buenos Aires. Kuzyn powiedział, że ojciec Saeeda zmarł na zapalenie płuc, po długotrwałej infekcji, z którą zmagał się miesiącami, początkowo było to tylko przeziębienie, ale później jego stan

bardzo się pogorszył i przy braku antybiotyków choroba go po-
konała, ale w tych ostatnich chwilach nie był sam, było z nim jego
rodzeństwo, i został pochowany obok żony, tak jak tego pragnął.

Saeed nie wiedział, jak ma go opłakiwać, jak z tak wielkiej odległości wyrazić ogarniające go wyrzuty sumienia. Pracował dwa razy więcej, brał dodatkowe zmiany nawet wtedy,
gdy brakowało mu sił, choć nie skracało to oczekiwania Nadii
i jego samego na otrzymanie mieszkania, ale też ten czas oczekiwania się nie wydłużał, bo nie tylko on, ale też inni mężowie,
żony, matki i ojcowie brali dodatkową pracę, a zwiększone wy-
siłki Saeeda pozwalały Nadii i jemu utrzymać pozycję na liście
oczekujących.

Nadia była głęboko wstrząśnięta wiadomością o odejściu
staruszka, nawet bardziej, niż mogła się tego spodziewać. Próbowała porozmawiać z Saeedem o jego ojcu, ale brakowało jej
słów, nie wiedziała, co może powiedzieć, a Saeed ze swojej strony
był małomówny, powściągliwy. Od czasu do czasu nękało ją
poczucie winy, chociaż trudno byłoby jej powiedzieć, z jakiego
dokładnie powodu miałaby czuć się winna. Wiedziała natomiast, że gdy ją to nachodziło, ulgę przynosiło jej przebywanie
w miejscu, w którym nie było Saeeda, gdy pracowała w innym
miejscu, ale ulga trwała dopóty, dopóki sobie tego nie uświadomiła, dopóki nie uświadomiła sobie, że odczuwa ulgę dlatego,
że nie jest z nim, bo gdy tylko ta myśl się pojawiała, poczucie
winy zwykle czaiło się w pobliżu.

Saeed nie prosił Nadii, żeby modliła się wraz z nim za jego
ojca, a ona sama też nie wychodziła z taką inicjatywą, ale kiedy

zaprosił grono znajomych na modlitwę w długim wieczornym cieniu rzucanym przez ich sypialnię, powiedziała, że chciałaby przyłączyć się do kręgu modlących się ludzi, chciała usiąść wraz z Saeedem i innymi, nawet jeśli nie będzie angażować się w same modły, a on uśmiechnął się i powiedział, że nie ma takiej potrzeby. Nie potrafiła nic na to odpowiedzieć. Mimo to została obok Saeeda, na nagiej ziemi, ogołoconej z roślin przez setki tysięcy stóp i zrytej oponami niesamowicie ciężkich pojazdów, po raz pierwszy czując się tu osobą nieproszoną. Lub może niezaangażowaną. A może i jedną, i drugą.

Dla wielu osób dostosowanie się do tego nowego świata rzeczywiście nie było łatwe, ale dla innych okazało się to nieoczekiwanie przyjemnym doświadczeniem.

W centrum Amsterdamu, przy kanale Prinsengracht, pewien starszy pan wyszedł na balkon swojego małego mieszkania, jednego z kilkudziesięciu mieszkań powstałych po zaadaptowaniu paru kilkusetletnich domów nad kanałem oraz dawnych magazynów, mieszkań wychodzących na podwórze zarośnięte bujnym listowiem niczym tropikalna dżungla, drewniane krawędzie jego balkonu, wilgotne od zieleni w tym mieście na wodzie, porastał mech, a także paprocie, po bokach balkonu pięły się wąsy roślin, i na tym balkonie starszy pan miał dwa krzesła, dwa krzesła z dawnych lat, kiedy to mieszkanie zajmowały dwie osoby, chociaż teraz została jedna, jego ostatnia miłość rozstała się z nim w atmosferze żalu, i starszy pan usiadł właśnie na jednym z tych krzeseł, i ostrożnie, drżącymi palcami, skręcił papierosa, papier szeleścił, ale był też delikatnie miękki od wilgoci, a zapach tytoniu jak zawsze przypomniał mu o zmarłym ojcu, który wraz z nim wysłuchiwał odtwarzanego z gramofonu opowiadania science fiction, nabijał fajkę i ją kurzył, w tym czasie morskie potwory atakowały wielką łódź podwodną, odgłosy wiatru i fal w nagraniach mieszały się z dźwiękiem deszczu uderzającego w okno, a starszy pan, który wówczas był chłopcem, myślał sobie, kiedy dorosnę, też będę palił, i właśnie teraz on, który palił przez większą część stulecia, zamierzał zapalić papierosa, kiedy zobaczył, że ze stojącej na podwórzu wspólnej szopy, w której przechowywano narzędzia ogrodnicze i tym podobne rzeczy i z której ostatnio napływał i odpływał stały strumień cudzoziemców, wychodzi pomarszczony mężczyzna, zezowaty, z laseczką i w kapeluszu panama, ubrany jak w tropiki.

Starszy pan spojrzał na pomarszczonego mężczyznę, ale się nie odezwał. Zapalił tylko papierosa i się zaciągnął. Pomarszczony mężczyzna również nic nie powiedział: chodził powoli po podwórzu, podpierając się laseczką, która zgrzytała na żwirze chodnika. Następnie pomarszczony mężczyzna podszedł do szopy, zanim jednak wszedł do niej ponownie, odwrócił się do starszego pana, który patrzył na niego z pewną pogardą, i elegancko uchylił kapelusza.

Zaskoczony tym gestem starszy pan siedział nieruchomo, niczym sparaliżowany, ale zanim zdążył pomyśleć, jak powinien zareagować, pomarszczony mężczyzna zrobił krok naprzód i zniknął.

Następnego dnia scenka się powtórzyła. Starszy pan siedział na balkonie. Pomarszczony mężczyzna wrócił. Patrzyli na siebie. Tym razem jednak, kiedy pomarszczony mężczyzna uchylił kapelusza, starszy pan uniósł w jego stronę kieliszek z winem, winem likierowym, które akurat pił, i jednocześnie poważnie, ale zarazem grzecznie skinął głową. Żaden z nich się nie uśmiechnął.

Trzeciego dnia starszy pan zapytał pomarszczonego mężczyznę, czy nie zechciałby dołączyć do niego na balkonie, i chociaż starszy pan nie znał brazylijskiej odmiany portugalskiego, a pomarszczony mężczyzna nie znał holenderskiego, wspólnymi siłami udało im się nawiązać rozmowę, rozmowę przerywaną wielokrotnymi i długimi chwilami ciszy, ale te chwile były nadzwyczaj miłe, niemal niezauważane dla dwóch mężczyzn, jak niezauważalne byłyby bezwietrzne minuty czy godziny dla dwóch wiekowych drzew.

Podczas następnej wizyty pomarszczony mężczyzna zaprosił starszego pana, żeby wraz z nim przeszedł przez znajdujące się w szopie czarne drzwi. Starszy pan skorzystał z zaproszenia, krocząc powoli, podobnie jak to robił pomarszczony mężczyzna, a po drugiej stronie drzwi starszy pan, kiedy już pomarszczony mężczyzna pomógł mu wstać, znalazł się w pagórkowatej dzielnicy Santa Teresa w Rio de Janeiro, w dzień wyraźnie młodszy i cieplejszy niż tamten pozostawiony w Amsterdamie. Pomarszczony mężczyzna przeprowadził go następnie przez tory tramwajowe i wprowadził do swojej malarskiej pracowni, gdzie pokazał mu kilka obrazów, a starszy pan, zbyt urzeczony tym wszystkim, co się wokół niego dzieje, żeby zachować obiektywizm, uznał, że te obrazy świadczą o prawdziwym talencie artysty. Zapytał, czy mógłby zakupić jeden z nich, na co otrzymał propozycję wybrania sobie któregoś w prezencie.

Tydzień później kobieta pracująca jako fotograf wojenny i zajmująca wychodzące na to samo podwórko mieszkanie przy Prinsengracht była pierwszą sąsiadką, która zauważyła obecność tej pary staruszków na balkonie usytuowanym naprzeciwko i nieco poniżej jej lokalu. Wkrótce potem, ku swemu ogromnemu zaskoczeniu, była też świadkiem ich pierwszego pocałunku, który uchwyciła, zupełnie się tego nie spodziewając, obiektywem aparatu, a potem, jeszcze tego samego wieczoru, usunęła w dość nietypowym dla siebie porywie uczuć i szacunku dla innych.

Czasami w obozie Saeeda i Nadii czy w ich miejscu pracy pojawiał się ktoś z prasy, zazwyczaj jednak to sami mieszkańcy dokumentowali, a potem zamieszczali i komentowali w Internecie wszystkie bieżące wydarzenia. Jak zwykle największe zainteresowanie świata zewnętrznego budziły katastrofy, takie jak atak narodowców skutkujący unieruchomieniem parku maszynowego, niszczący niemal gotowe lokale mieszkalne bądź kończący się poważnym pobiciem pracowników, którzy zapędzili się zbyt daleko od obozu. Ewentualnie zasztyletowanie miejscowego kierownika przez jakiegoś migranta czy też walka między rywalizującymi grupami migrantów. Ale przeważnie niewiele było do relacjonowania, jedynie codzienne sprawy niezliczonych rzesz ludzi, którzy pracują, żyją i się starzeją, zakochują się i od-kochują, tak jak to się dzieje w każdym miejscu, a więc nic, co uznaje się za godne umieszczania na pierwszych stronach albo uważano by za ciekawe dla wszystkich, nie licząc bezpośrednio zainteresowanych.

Z oczywistych powodów w pawilonach nie mieszkał nikt z miejscowych. Miejscowi pracowali jednak razem z migran-tami, zwykle jako kierownicy lub operatorzy ciężkich maszyn, olbrzymich pojazdów, które przypominały zmechanizowane dinozaury podnoszące ogromne masy ziemi, walcujące gorące pasy nawierzchni czy kręcące betonem z niewzruszonym spo-kojem przeżuwających krów. Saeed widział oczywiście w prze-szłości sprzęt budowlany, ale to, co teraz ujrzał, przyćmiewało rozmiarem wszystko, co wcześniej miał okazję zobaczyć, a już na pewno praca obok sapiącej i parskającej maszyny budowlanej nie była tym samym, co zerkanie na nią z daleka, podobnie jak zupełnie innym doświadczeniem jest dla żołnierza piechoty bieg obok czołgu podczas natarcia niż dla dziecka oglądanie czołgu na defiladzie.

Saeed pracował w brygadzie robót drogowych. Jego bryga-dzistą był znający swój fach i doświadczony tutejszy mieszka-niec z kilkoma krótkimi kępkami siwych włosów otaczającymi niemal łysą głowę, którą zakrywał kaskiem, dopóki pod koniec dnia nie wycierał z niej potu. Brygadzista był człowiekiem spra-wiedliwym i silnym, o surowym, umęczonym obliczu. Nie miał w zwyczaju wdawać się w rozmowy towarzyskie, ale w przeciwieństwie do wielu miejscowych jadł lunch razem z migrantami, którymi kierował w pracy, i chyba lubił Saeeda, a jeśli uznać, że lubił to za wiele powiedziane, przynajmniej wydawał się doceniać zaangażowanie Saeeda i często siedział obok Saeeda podczas posiłku. Na korzyść Saeeda przemawiało również to, że należał do tych pracowników, którzy mówili po angielsku, dzięki czemu zajmował pośrednie stanowisko między brygadzistą a innymi członkami brygady.

Brygada była bardzo duża ze względu na nadmiar kompetentnych pracowników i niedobór maszyn, a brygadzista musiał stale wymyślać, jak efektywnie wykorzystać tak wielu ludzi. W pewnym sensie czuł się, jakby znalazł się w pułapce między przeszłością a przyszłością, przeszłością, ponieważ w czasach, kiedy zaczynał karierę, podział zadań podobnie ciążył ku pracy fizycznej, a przyszłością, ponieważ rozglądając się obecnie wokół siebie i obserwując niemal niewyobrażalną skalę stojącego przed nimi zadania, miał wrażenie, że zmieniają kształt samej Ziemi.

Saeed podziwiał brygadzistę, człowieka obdarzonego tą cichą charyzmą, która często przyciąga młodych mężczyzn, a która częściowo wynikała z tego, że najwyraźniej ich podziw zupełnie go nie interesował. Ponadto dla Saeeda i dla wielu innych osób w brygadzie kontakt z brygadzistą był najbardziej osobistym i bezpośrednim kontaktem z miejscowymi, więc patrzyli na niego, jakby miał być kluczem do zrozumienia ich nowego domu, tutejszych ludzi, ich zachowań, zasad i obyczajów, i w pewnym sensie kimś takim był, choć oczywiście sama ich obecność powodowała, że tutejsi ludzie, ich zachowania, zasady i obyczaje ulegały poważnej zmianie.

Pewnego razu, pod wieczór, gdy praca tego dnia była już na ukończeniu, Saeed podszedł do brygadzisty i podziękował mu za wszystko, co robi dla migrantów. Brygadzista nic nie odpowiedział. Patrząc na niego w tym momencie, Saeed przypomniał sobie o żołnierzach widzianych w swoim rodzinnym mieście, wracających na urlop z pola bitwy, którzy nagabywani o opowieść o tym, gdzie byli i co robili, patrzyli na pytającego tak, jakby ten człowiek nie miał najmniejszego pojęcia, jak wiele od nich żąda.

NAZAJUTRZ SAEED OBUDZIŁ SIĘ przed świtem, czując, że ciało ma zesztywniałe i naprężone. Ze względu na Nadię próbował się nie ruszać, ale otworzył oczy i zorientował się, że ona nie śpi. W pierwszym odruchu chciał udać, że nadal jest pogrążony we śnie – był przecież wyczerpany i miał prawo spędzić więcej czasu spokojnie w łóżku – ale myśl, że ona tam leży i czuje się samotna, była niezbyt przyjemna, a poza tym Nadia mogła zorientować się w tym jego wybiegu. Odwrócił się więc do niej i zapytał szeptem:

– Chcesz wyjść na dwór?

Skinęła głową, nie patrząc na niego, po czym oboje się podnieśli, usiedli plecami do siebie, po przeciwnych stronach łóżka, i po omacku zaczęli szukać stopami roboczych butów. Zaciągane i wiązane sznurowadła skrzypiały. Słyszeli oddechy i kaszel, płacz dziecka i odgłosy wysiłków towarzyszących cichemu seksowi. Przygaszone nocne oświetlenie pawilonu było jasne jak światło półksiężyca: pozwalało spać, ale też pozwalało widzieć kształty, choć nie dało się już rozróżnić kolorów. Wyszli na zewnątrz. Niebo zaczęło się zmieniać, już nie było w ciemnym kolorze indygo, a wokół nich znajdowali się też inni ludzie, rozproszeni, to tu, to tam, pary i grupki, ale przede wszystkim samotne postaci, niemogące spać albo przynajmniej niemogące już spać dłużej. Było chłodno, ale nie zimno, Nadia i Saeed stali obok siebie i choć nie trzymali się za ręce, czuli przez rękawy, że delikatnie dotykają się ramionami.

– Czuję się taka zmęczona – odezwała się Nadia.

– Wiem – odrzekł Saeed. – Ja też.

Nadia chciała powiedzieć Saeedowi coś więcej, ale w tym momencie poczuła, że coś ją pali w gardle, niemal boleśnie, i to, co jeszcze chciała powiedzieć, nie potrafiło utorować sobie drogi do jej języka i warg.

Również Saeed o czymś myślał. Wiedział, że teraz może porozmawiać z Nadią. Wiedział, że powinien teraz porozmawiać z Nadią, bo mieli czas, bo byli razem i nic im nie przeszkadzało. Ale także on nie potrafił zmusić się do mówienia.

Dlatego też tylko poszli przed siebie, Saeed zrobił pierwszy krok, Nadia ruszyła za nim, a potem szli ramię w ramię, szybkim krokiem, a w oczach tych, którzy ich widzieli, wyglądali jak dwóch maszerujących robotników, a nie jak spacerująca para. O tej porze obóz był opustoszały, ale wszędzie były ptaki, ptaki zmierzające w różne miejsca, mnóstwo ptaków, ptaki latające i siedzące na pawilonach czy na obozowym ogrodzeniu, więc Nadia i Saeed patrzyli na te ptaki, które już straciły lub wkrótce miały stracić swoje drzewa z powodu prowadzonych prac budowlanych, a Saeed czasami próbował przywoływać je cichym, syczącym gwizdem z roztulonych ust, jak powoli tracący powietrze balon.

Nadia patrzyła, czy jakiś ptak zwróci uwagę na jego wezwanie, ale podczas ich spaceru nie zauważyła ani jednego.

NADIA PRACOWAŁA W BRYGADZIE, która w przeważającej części składała się z kobiet zajmujących się układaniem rur, układających olbrzymie szpule i całe palety rur w różnych kolorach, pomarańczowym, żółtym, czarnym i zielonym. Przez te rury wkrótce miało krążyć życie i myśli nowego miasta, to wszystko, co pozwala ludziom łączyć się bez konieczności przemieszczania. Przed kładącymi rury pracowała przypominająca pająka lub modliszkę koparka, przysadzista i stojąca na szeroko rozstawionych nogach, ale z parą wystających z przodu i groźnie wyglądających wyrostków, które łączyły się w zwieńczony blankami zgarniak w pobliżu miejsca, gdzie znajdowałby się jej otwór gębowy. Koparka ryła w ziemi rowy, a pracownicy odwijali rury z kręgów, rozwijali je i opuszczali do rowów, w których je potem łączyli.

Operatorem koparki był tęgi tutejszy mieszkaniec, małżonek nietutejszej kobiety, która zdaniem Nadii wyglądała na tutejszą, ale najwidoczniej dwie dekady temu przybyła z jakiegoś pobliskiego kraju i prawdopodobnie zachowała akcent swoich przodków, choć z drugiej strony miejscowi mówili z tak wieloma różnymi akcentami, że Nadia nie potrafiła ich rozróżnić. Kobieta była kierowniczką w pobliskim punkcie przygotowania posiłków i w przerwie obiadowej przychodziła na miejsce pracy Nadii, jeśli akurat był tam jej mąż, który kopał rowy dla wielu zespołów kładących rury, więc bywał w różnych miejscach, a gdy przychodziła, ona i jej mąż odwijali kanapki, odkręcali termosy i wspólnie jedli, a przy tym rozmawiali i się śmiali.

Z czasem Nadia i inne kobiety z jej brygady zaczęły do nich dołączać, ponieważ byli to ludzie serdeczni i towarzyscy. Kierowca okazał się gadułą i dowcipnisiem i wyraźnie rozkoszował się uwagą, jaką go darzono, a i jego żona rozkoszowała się tym chyba w równym stopniu, chociaż mniej mówiła, ale widać było, że z przyjemnością patrzy na te wszystkie kobiety jak urzeczone słuchające jej męża. Może dzięki temu zyskiwał w jej oczach. Nadia, która na tych spotkaniach patrzyła i się uśmiechała, ale zwykle niewiele mówiła, myślała o tej parze trochę jak o władczyni i władcy królestwa zamieszkanego wyłącznie przez kobiety, przemijającego królestwa, które miało istnieć zaledwie kilka krótkich miesięcy, i zastanawiała się, czy oni nie myśleli podobnie, a mimo to postanowili się tym rozkoszować.

MÓWIONO, ŻE Z KAŻDYM miesiącem w Londynie przybywa obozów dla pracowników i być może było to prawdą, niemniej Saeed i Nadia zauważyli, że ich obóz niemal codzienne powiększa się o nowych mieszkańców. Niektórzy przybywali na piechotę, inni w autobusach lub furgonetkach. Robotników zachęcano do pomagania na terenie obozu w dni wolne od pracy, a Saeed często zgłaszał się na ochotnika i zajmował się nowymi mieszkańcami obozu, pomagając im się zadomowić.

Raz zajmował się małą rodziną, matką, ojcem i córką, trzema osobami o skórze tak jasnej, jakby nigdy nie widzieli słońca. Zdumiały go ich rzęsy, które nieprawdopodobnie zatrzymywały światło, a także ręce i policzki, w których widać było sieć drobnych żyłek. Zastanawiał się, skąd pochodzą, ale nie mówił w ich języku, oni z kolei nie mówili po angielsku, a poza tym nie chciał być wścibski.

Matka była kobietą wysoką i wąską w ramionach, tak wysoką jak ojciec, a córka była nieco mniejszą wersją matki, prawie wzrostu Saeeda, chociaż podejrzewał, że jest bardzo młoda, mogła mieć ze trzynaście lub czternaście lat. Patrzyli na niego podejrzliwie i z jakąś rozpaczą w oczach, więc Saeed starał się mówić łagodnie i poruszać się powoli, tak jak się robi przy pierwszym spotkaniu z zalęknionym koniem lub szczeniakiem.

W ciągu spędzonego z nimi popołudnia Saeed tylko z rzadka słyszał, żeby ze sobą rozmawiali w tym ich dziwnym, jak mu się wydawało, języku. Przeważnie porozumiewali się gestem lub wzrokiem. Prawdopodobnie, jak początkowo myślał Saeed, obawiali się, że może ich rozumieć. Później podejrzewał, że przyczyna była inna. Doszedł do wniosku, że się wstydzili, a jeszcze nie wiedzieli, że pośród wysiedlonych wstyd to powszechne uczucie, a zatem nie było żadnego powodu wstydzić się wstydu.

Zaprowadził ich do wyznaczonego im miejsca w jednym z nowych pawilonów, niezamieszkanych i skromnych, wyposażonego w łóżko i zawieszone na jednym z kabli półki z materiału, i tam ich zostawił, żeby się urządzili, zostawił całą trójkę, patrzących przed siebie i znieruchomiałych. Ale gdy godzinę później powrócił, żeby wskazać im drogę do namiotu, w którym mieli dostać obiad, i zawołał do nich, a matka odsunęła na bok połę zasłony służącą im za drzwi frontowe, zerknąwszy do wnętrza, ujrzał dom, wszystkie półki wypełnione, na ziemi schludne tobołki z rzeczami, na łóżku narzuta i na tym samym łóżku córka; siedziała prosto, nie opierając się o nic plecami, z nogami skrzyżowanymi w łydkach, tak że uda spoczywały na stopach, a na jej kolanach mały notes lub pamiętnik, w którym aż do ostatniej chwili zapamiętale pisała, dopóki matka nie zawołała jej po imieniu, a wówczas zamknęła go na kluczyk, zwisający z jej szyi na sznurku, i umieściła w jednym ze stosów z rzeczami, które najwyraźniej należały do niej, wcisnęła pamiętnik w środek stosu, żeby go ukryć.

Dołączyła do rodziców, którzy skinieniem głowy dali Saeedowi znak, że go rozpoznają, a wówczas odwrócił się i poprowadził ich z tego miejsca, miejsca, które już zaczęło należeć do nich, do innego, gdzie zmierzając przed siebie, niezawodnie znajdą posiłek.

LETNIE WIECZORY NA PÓŁNOCY ciągnęły się bez końca. Saeed i Nadia nieraz zasypiali, jeszcze zanim zrobiło się zupełnie ciemno, a przed pójściem spać często siadali na dworze na ziemi, tyłem do swojej sypialni, z telefonami w rękach, i wędrowali do odległych miejsc, ale nie robili tego wspólnie, chociaż można było odnieść wrażenie, że są razem, a gdy czasami jedno z nich podnosiło wzrok, czuło na twarzy wiatr wiejący przez otaczające ich spustoszone pola.

Brak rozmów tłumaczyli wyczerpaniem, bo pod koniec dnia zazwyczaj byli tak zmęczeni, że ledwo mówili, a ponadto telefony mają wrodzoną siłę dystansowania człowieka od otaczającego go fizycznie świata, co też mogło być częściowo przyczyną, ale Saeed i Nadia już nie dotykali się wzajemnie w łóżku, już nie robili tego w ten szczególny sposób, i to bynajmniej nie dlatego, że ich miejsce za zasłonką w pawilonie nie zapewniało dostatecznej prywatności, albo przynajmniej nie tylko z tego powodu, a jeśli już zdarzało im się dłużej porozmawiać, oni, para, która nigdy wcześniej się nie spierała, na ogół zaczynali się kłócić, jakby mieli nerwy tak bardzo napięte, że dłuższe spotkania sprawiały obojgu ból.

Po każdej przeprowadzce żyjąca ze sobą para, jeśli dwoje ludzi wciąż zwraca na siebie uwagę, zaczyna widzieć się nawzajem inaczej, nasze osobowości bowiem nie są jak jednorodny, niezmienny kolor, jak biały czy niebieski, są raczej jak oświetlone ekrany, a odbijane przez nas odcienie w dużej mierze zależą od tego, co się wokół nas znajduje. I tak też było z Saeedem i Nadią, którzy w tym nowym miejscu widzieli się nawzajem odmienionymi.

Zdaniem Nadii Saeed był nawet przystojniejszy niż poprzednio, ciężka praca i utrata wagi wyraźnie mu służyły, przydawały mu refleksyjnej aury, przeobrażając jego chłopięcość w prawdziwą męskość. Zauważała, że inne kobiety od czasu do czasu na niego zerkają, a mimo to czuła się dziwnie niewzruszona jego atrakcyjnością, jakby był skałą lub domem, czymś, co można podziwiać, ale co nie budzi żadnego prawdziwego pragnienia.

W szczecinie jego brody pojawiły się dwa lub trzy świeżo przybyłe tego lata siwe włosy, modlił się regularniej, każdego ranka i wieczora, a pewnie też podczas przerw obiadowych. Kiedy się odzywał, mówił o budowie nawierzchni, o miejscu na listach oczekujących i o polityce, ale nie wspominał o rodzicach i już nie mówił o podróżach, o wszystkich miejscach, które pewnego dnia mogliby razem zobaczyć, ani o gwiazdach.

Ciągnęło go do ludzi z ich kraju, zarówno w obozie pracujących migrantów, jak i w Internecie. Nadia odnosiła wrażenie, że im bardziej oddalali się od ich rodzinnego miasta w przestrzeni i w czasie, tym bardziej starał się wzmocnić swoje związki z tym miejscem, przywiązując się do aury epoki, która dla niej zdecydowanie odeszła już w przeszłość.

W oczach Saeeda Nadia wyglądała prawie tak samo jak wówczas, gdy się poznali, czyli szalenie zachwycająco, choć była wyraźnie bardziej zmęczona. Nie mógł jednak pojąć, dlaczego nadal nosi czarną burkę, i trochę go to drażniło, bo przecież nie modliła się i unikała mówienia w ich języku, unikała też ich rodaków, więc czasami chciał krzyknąć, weźże to zdejmij, a potem wzdrygał się w duchu, ponieważ wierzył, że ją kocha, a jego niechęć, wzbierająca w nim w takich chwilach, sprawiała, że był zły na siebie, na tego mężczyznę, którym powoli chyba się stawał, zupełnie nieromantycznego, uważał bowiem, że nie takim człowiekiem powinien starać się zostać mężczyzna.

Saeed chciał czuć do Nadii to, co zawsze do niej czuł, a potencjalna utrata tego uczucia powodowała, że znikała jego ostoja, zrywał się z kotwicy i dryfował w świecie, w którym można iść wszędzie, a i tak niczego się nie znajdzie. Był pewien, że jest dla niego ważna, życzył jej jak najlepiej i chciał ją chronić. To ona była teraz całą jego bliską rodziną, a rodzinę cenił ponad wszystko, i gdy widział, że zaczyna między nimi brakować ciepła, ogarniał go przeogromny smutek, tak ogromny, że zastanawiał się nawet, czy to wszystko, co stracił, nie połączyło się w jądro straty, a w tym jądrze, w tym centrum, śmierć matki i śmierć ojca, a także ewentualna śmierć jego idealnego wyobrażenia o sobie, o mężczyźnie tak bardzo kochającym swoją kobietę, były niczym jedna śmierć, którą mógłby przetrzymać tylko dzięki ciężkiej pracy i modlitwie.

Saeed starał się uśmiechać w towarzystwie Nadii, przynajmniej od czasu do czasu, i miał nadzieję, że widząc jego uśmiech, ona odbierze to jako wyraz jego serdeczności i troski, ale ona czuła jedynie smutek i uważała, że stać ich oboje na więcej i że wspólnie muszą znaleźć jakieś wyjście.

DLATEGO TEŻ, KIEDY pewnego dnia, pod upstrzonym dronami niebem i w niewidzialnej sieci nadzoru, który promieniował z ich telefonów, nagrywając, przechwytując i zapisując wszystko, ni stąd, ni zowąd zaproponowała, żeby porzucili tę okolicę i zrezygnowali z miejsca na liście oczekujących na mieszkanie, a także z wszystkiego, co tu zbudowali, i przeszli przez pobliskie drzwi, o których ostatnio usłyszała, do nowego miasta Marin, położonego nad Oceanem Spokojnym w pobliżu San Francisco, nie sprzeciwił się, nawet nie oponował, choć tego się obawiała, zamiast tego się zgodził, a w ich serca wstąpiła nadzieja, nadzieja, że uda im się ponownie wzniecić uczucie, ponownie zaangażować się w to ich uczucie, tak jak to potrafili zupełnie niedawno, i pokonując odległość obejmującą jedną trzecią globu, wymknąć się temu, co groziło im swoim urzeczywistnieniem.

10.

W MIARĘ WSPINACZKI na wzgórza Marin zmniejszała się dostępność usług, wyraźnie natomiast poprawiała się sceneria. Nadia i Saeed dosyć późno przybyli do tego nowego miasta i niższe partie zboczy zostały już zajęte, więc znaleźli sobie miejsce położone wysoko, z widokiem na most Golden Gate i na zatokę San Francisco, kiedy była dobra widoczność, oraz z widokiem na rozproszone wyspy unoszące się na morzu chmur, gdy zbierała się mgła.

Postawili budę ze ścianami z wyrzuconych drewnianych skrzynek i przykrytą dachem z blachy falistej. Jak wyjaśnili im sąsiedzi, taka konstrukcja sprawdzała się podczas trzęsienia ziemi: może zawalić się przy wstrząsach, ale raczej nie zrobi krzywdy mieszkańcom, bo jest stosunkowo lekka. W okolicy sygnał sieci bezprzewodowych był silny, zorganizowali sobie też panel słoneczny i zestaw akumulatorów z uniwersalnym gniazdkiem, do którego można było włożyć wtyczki z całego świata, a także zamontowali zbiornik na deszczówkę, wykonany z syntetycznego materiału i wiadra, oraz skraplacze rosy, które mieściły się w plastikowych butelkach i wyglądały jak włókna odwróconych do góry nogami żarówek, dzięki czemu życie Saeeda i Nadii, choć skromne, nie było tak ciężkie ani tak od-izolowane od świata, jak mogłoby być w innym razie.

Patrząc z ich budy, mgła wydawała się żywą istotą: poruszała się, gęstniała, snuła się i rozrzedzała. Ukazywała to, co niewidzialne, to, co działo się w wodzie i w powietrzu, bo nagle okazało się, że ciepło, zimno i wilgoć można nie tylko odczuć na skórze, ale również zobaczyć w ich skutkach atmosferycznych. Nadia i Saeed mieli wrażenie, że w jakiś przedziwny sposób żyją jednocześnie nad oceanem i wśród górskich szczytów.

W drodze do pracy Nadia schodziła ze zbocza, najpierw przechodząc przez inne, podobne do ich miejsca zamieszkania dzielnice, w których nie było rur i kabli, potem przez te, w których zainstalowano sieć elektryczną, a potem przez te, do których docierały drogi i bieżąca woda, a stamtąd jechała autobusem lub pikapem do celu, sklepu spółdzielni spożywczej w pośpiesznie zbudowanym centrum handlowym obok Sausalito.

Marin było przygnębiająco biedne, zwłaszcza w porównaniu z olśniewającym bogactwem San Francisco. Mimo to panował tu, przynajmniej sporadycznie, optymizm, który nigdy całkowicie nie zanikał, być może dlatego, że przemoc w Marin nie była tak powszechna, jak w większości miejsc, z których nowi mieszkańcy miasta uciekli, a może z powodu panoramy, lokalizacji na skraju kontynentu, z widokiem na największy ocean świata, albo ze względu na mieszankę zamieszkujących tu ludzi lub bliskość królestwa przyprawiającej o zawrót głowy technologii, które ciągnęło się wzdłuż zatoki niczym wygięty kciuk, zawsze gotowy zetknąć się z zakrzywionym palcem Marin w lekko koślawym geście oznajmiającym, że wszystko będzie w porządku.

Pewnego wieczoru Nadia przyniosła z pracy trochę trawy, którą otrzymała od współpracownika. Nie wiedziała, jak Saeed na to zareaguje, ale zdała sobie z tego sprawę dopiero w drodze do domu. W ich rodzinnym mieście z przyjemnością wspólnie palili skręty, ale od tego czasu minął rok, Saeed w tym czasie się zmienił, a i ona mogła się zmienić, i wytworzył się między nimi tak wielki dystans, że to, co kiedyś mogli uważać za oczywiste, wcale już takie oczywiste nie było.

Saeed stał się bardziej melancholijny niż w przeszłości, co zrozumiałe, a także cichszy i pobożniejszy. Czasami czuła, że w modlitwach nie był wobec niej obojętny, a nawet podejrzewała, że kryła się w nich jakaś nutka wyrzutu, ale nie potrafiłaby określić, dlaczego coś takiego czuje, nigdy bowiem nie mówił jej, żeby się modliła, i nie ganił jej też, że się nie modli. Ale w jego religijnym uwielbieniu było coraz więcej uwielbienia, a w stosunku do niej uwielbienia było wyraźnie coraz mniej.

Zastanowiła się, czy nie zrobić skręta na dworze i czy nie wypalić trawy w samotności, bez Saeeda, w ukryciu przed Saeedem, i zdziwiło ją, że bierze coś takiego pod uwagę, a to z kolei skłoniło ją do rozmyślań nad tym, jak ona sama stawia różne bariery między nimi. Nie wiedziała, kogo dziełem, jej czy jego, były poszerzające się pęknięcia między nimi, ale wiedziała, że wciąż jest jej bliski, więc przyniosła trawę do domu i dopiero usiadłszy obok niego na fotelu samochodowym, który pozyskali w drodze wymiany i który służył im teraz za sofę, podenerwowana zdała sobie sprawę, jak wielkie znaczenie ma dla niej jego reakcja na trawę.

Nogą i ramieniem dotykała nogi i ramienia Saeeda, siedzącego w pozie świadczącej o wyczerpaniu, i czuła przez ubranie jego ciepło. Zdobył się jednak na zmęczony uśmiech, który uznała za zachęcający, i kiedy otworzyła dłoń, ukazując, jak wówczas na dachu, tak niedawno, ale całe wieki temu, co jest w środku, a on zobaczył trawę, wybuchnął śmiechem, niemal bezgłośnym, jakimś delikatnym burczeniem, i odezwał się, mówiąc głosem rozwlekłym jak ospale rozwijający się kłąb wydychanego dymu o zapachu marihuany:

– Fantastycznie.

Saeed zrobił skręta dla nich obojga, Nadia ledwo hamowała uczucie radości i nawet chciała go przytulić, ale się powstrzymała. Zapalił skręta i wypalili go wspólnie, w płucach ich piekło, a ona od razu zwróciła uwagę, że tutejsza trawa jest znacznie mocniejsza od haszyszu w ich ojczyźnie, czuła się oszołomiona jej działaniem, niemal na granicy lekkiej paranoi, i miała trudności z mówieniem.

Przez chwilę siedzieli w milczeniu, podczas gdy na dworze robiło się coraz chłodniej. Saeed wziął koc i się w niego zawinęli. A potem, nie patrząc na siebie, zaczęli się śmiać i Nadia zaśmiewała się do łez.

W MARTIN PRAWIE W OGÓLE nie było rdzennych mieszkańców, ci ludzie albo wymarli, albo dawno temu zostali zgładzeni i spotykało się ich tylko sporadycznie na przygodnych targowiskach – choć może nawet częściej, ale zawsze skrywały ich ubrania, jakieś pozory czy zachowanie, które sprawiały, że nie dało się ich odróżnić od innych. Na targowiskach sprzedawali piękną srebrną biżuterię, ubrania z miękkiej skóry i kolorowe wyroby tekstylne, a starsi spośród nich nierzadko mieli bezmierną cierpliwość, której dorównywał ich bezmierny smutek. Na tych targowiskach opowiadano historie, na słuchanie których schodzili się teraz ludzie ze wszystkich stron, bo uważano, że opowieści tubylców bardzo pasują do obecnych czasów migracji, a słuchacze czerpią z nich tak bardzo potrzebne im wsparcie.

A jednak nieprawdziwe byłoby stwierdzenie, że nie było tu prawie miejscowych, bo przecież rdzenność to kwestia względna, a wiele innych osób uważało się za rdzennych mieszkańców tego kraju, co w ich wypadku oznaczało, że oni, ich rodzice albo ich dziadkowie czy też dziadkowie ich dziadków urodzili się na pasie ziemi rozciągającym się od środkowej części północnego Pacyfiku do środkowej części północnego Atlantyku, że ich obecność w tym miejscu nie wynikała z fizycznej migracji za ich życia. Saeed odniósł wrażenie, że ludzie, którzy najmocniej wyrażali takie stanowisko, którzy najbardziej stanowczo domagali się dla siebie praw miejscowej ludności, najczęściej wywodzili się spośród osób z jasną skórą i najbardziej przypominali rdzennych mieszkańców Wielkiej Brytanii – i podobnie jak to było uprzednio z wieloma rodowitymi Brytyjczykami, również wiele z tych osób wyglądało na zdumionych, niektórzy zaś na rozzłoszczonych tym, co dzieje się z ich ojczyzną, co zdążyło się już wydarzyć w tak krótkim czasie.

Na trzecią warstwę autochtonów składali się ludzie, których uważano za bezpośrednio wywodzących się, choćby w najdrobniejszej części puli genetycznej, od istot przywiezionych na ten kontynent wieki temu jako niewolnicy z Afryki. Chociaż ta warstwa rdzennej ludności nie była ogromna w stosunku do pozostałych, miała ogromne znaczenie, ponieważ społeczeństwo ukształtowało się w odpowiedzi na jej obecność i z powodu swej obecności doświadczyła niewysłowionego cierpienia, a jednak przetrwała, żyzna niczym warstwa gleby, dzięki której możliwe były wszystkie następne przeszczepy gleb, co szczególnie pociągało Saeeda, jako że w miejscu kultu, do którego udał się w pewien piątek, wspólną modlitwę prowadził człowiek wywodzący się z tej tradycji i o tej tradycji mówiący, a podczas tych tygodni, odkąd on i Nadia przybyli do Marin, Saeed zauważył, że słowa mężczyzny przepełnione są mądrością niosącą spokój duszy.

Kaznodzieja był wdowcem, a ponieważ jego żona pochodziła z tego samego kraju co Saeed, znał nieco język Saeeda, a do tego podchodził do religii w sposób, który z jednej strony był Saeedowi bliski, a z drugiej oryginalny. Kaznodzieja nie zajmował się tylko głoszeniem kazań. Przede wszystkim starał się nakarmić i udzielić schronienia swoim wiernym, a także nauczyć ich angielskiego. Prowadził małą, ale sprawną organizację zrzeszającą wolontariuszy, młodych mężczyzn i kobiety, których kolor skóry nie był jaśniejszy od skóry Saeeda i do których wkrótce Saeed też się przyłączył, a pośród tych młodych mężczyzn i kobiet współpracujących obecnie z Saeedem była jedna szczególna kobieta, córka kaznodziei, kobieta z kręconymi włosami, związanymi wysoko na głowie kawałkiem materiału, i właśnie z tą jedną kobietą, tą jedną szczególną kobietą, Saeed unikał rozmów, bo gdy tylko na nią spoglądał, czuł, że zapiera mu dech w piersiach, i z poczuciem winy wracał myślami do Nadii, a potem myślał, że znalazł tu coś takiego, czym dla własnego dobra nie powinien się zajmować.

NADIA DOSTRZEGAŁA OBECNOŚĆ tej kobiety nie – jak można było oczekiwać – w jakimś oddalaniu się Saeeda, ale raczej w jego ożywieniu i szukaniu kontaktu. Saeed wydawał się szczęśliwszy i z chęcią pod koniec dnia palił skręty z Nadią, a raczej wraz z nią zaciągał się kilka razy, ponieważ postanowili dostosować spożycie lokalnej trawy do jej mocy, i znowu zaczęli rozmawiać o niczym, o podróżach, gwiazdach, chmurach i muzyce, która docierała do nich z innych bud. Poczuła, że powracają okruchy dawnego Saeeda.

I dlatego też chciała być tą dawną Nadią. Ale chociaż bardzo lubiła te ich pogawędki i cieszyło ją, że atmosfera między nimi się poprawiła, nadal rzadko się dotykali, a jej pragnienie jego dotyku, od dawna przygaszone, nie rozpalało się nowym płomieniem. Nadia miała wrażenie, jakby w jej wnętrzu coś umilkło. Rozmawiała z Saeedem, ale w jej własnych uszach słowa brzmiały jak stłumione. Leżąc obok Saeeda i zasypiając, nie pragnęła ani jego dłoni, ani ust na swoim ciele – była obojętna, jakby Saeed stał się jej bratem, ale ponieważ nigdy nie miał brata, nie wiedziała, co stoi za tym określeniem. Problem nie leżał w jej zmysłowości, jej poczuciu erotyki – one nie umarły. Zauważała, że działa na nią i przystojny mężczyzna mijany w drodze do pracy, i wspomnienie muzyka, jej pierwszego kochanka, czy też myślenie o dziewczynie z Mykonos. A czasami, gdy Saeeda nie było albo gdy spał, sama się zaspokajała, coraz częściej myśląc o tej dziewczynie, dziewczynie z Mykonos, i już nie dziwiła ją tak siła, z jaką sama na to reagowała.

Kiedy Saeed był dzieckiem, początkowo modlił się z ciekawości. Widywał matkę i ojca podczas modlitwy i ich zachowanie stanowiło dla niego pewną tajemnicę. Matka z reguły modliła się w sypialni, przeważnie raz dziennie, chyba że okres był szczególnie świąteczny albo zmarł czy chorował ktoś z rodziny – wówczas modliła się częściej. Ojciec na ogół modlił się w piątki, jeśli nie działo się nic szczególnego, i sporadycznie w ciągu tygodnia. Saeed widział, jak przygotowują się do modlitwy i jak się modlą, a potem widział ich twarze po modlitwie, zwykle uśmiechnięte, jakby doznali jakiegoś ukojenia, ulgi czy pocieszenia, i zastanawiał się, co się dzieje, kiedy człowiek się modli, i nie mógł się doczekać, żeby wreszcie doświadczyć tego osobiście, dlatego też sam poprosił, czy mógłby się tego nauczyć, zanim jeszcze rodzice pomyśleli, żeby go nauczyć, więc pewnego wyjątkowo upalnego lata matka przekazała mu niezbędną wiedzę i tak właśnie to się dla niego zaczęło. Do końca jego dni modlitwa miała czasami przypominać Saeedowi o matce, o delikatnie pachnącej perfumami sypialni rodziców i o kręcącym się w upale sufitowym wentylatorze.

Kiedy Saeed miał już kilkanaście lat, ojciec zapytał go, czy chciałby towarzyszyć mu w cotygodniowej wspólnej modlitwie. Saeed na to przystał, a potem w każdy piątek, bez wyjątku, ojciec Saeeda przyjeżdżał po syna do domu i Saeed modlił się wraz z ojcem i innymi mężczyznami, a modlitwa stała się dla niego czymś określającym go jako mężczyznę, jako jednego z tych mężczyzn, była rytuałem, który łączył go z dorosłością i świadomością bycia szczególnym rodzajem mężczyzny, dżentelmenem, mężczyzną szlachetnym, mężczyzną, który opowiada się za wspólnotą, wiarą, życzliwością i przyzwoitością, innymi słowy, mężczyzną takim jak jego ojciec. Młodzi ludzie modlą się za różne rzeczy, to oczywiste, ale niektórzy młodzi ludzie modlą się, żeby uhonorować dobroć tych, którzy ich wychowali, a Saeed był w dużym stopniu młodym człowiekiem tego pokroju.

Zanim jeszcze Saeed wstąpił na uniwersytet, jego rodzice zaczęli modlić się częściej niż wtedy, gdy był młodszy, być może dlatego, że do tego czasu stracili już wielu bliskich, a może dlatego, że coraz więcej wiedzieli o przemijającym charakterze życia, bądź też dlatego, że martwili się o syna żyjącego w kraju, który zdawał się ponad wszystko czcić pieniądze, niezależnie od tego, jak wiele byłoby innych gołosłownie deklarowanych przedmiotów uwielbienia, czy po prostu dlatego, że przez lata pogłębiły się ich osobiste relacje z modlitwą i z czasem nabrały większego znaczenia. Również Saeed modlił się częściej w tym okresie, przynajmniej raz dziennie, ceniąc sobie dyscyplinę towarzyszącą modlitwie, sam fakt, że reprezentowała zasady, obietnicę, którą złożył i której był wierny.

Ale teraz, w Marin, Saeed modlił się częściej, kilka razy dziennie, przede wszystkim modląc się w geście miłości do tego, co odeszło i co odejdzie, i co w żaden inny sposób nie może być kochane. Modląc się, zbliżał się do rodziców, do których nie mógł inaczej się zbliżyć, i dochodził do przekonania, że wszyscy jesteśmy dziećmi tracącymi rodziców, wszyscy, każdy mężczyzna i kobieta, chłopiec i dziewczyna, bo wszyscy również opuścimy tych, którzy przychodzą po nas i nas kochają, a ta strata jednoczy ludzkość, jednoczy wszystkie ludzkie istoty, tymczasowy charakter naszego istnienia i nasz wspólny smutek, cierpienie, które każdy z nas musi znosić, a jednak nader często nie chce zauważyć w innych, i na tej podstawie Saeed czuł, że w obliczu śmierci można uwierzyć, że ludzkość jest w stanie stworzyć lepszy świat, więc na jego modlitwę składało się opłakiwanie, pociecha i nadzieja, ale czuł też, że nie potrafi wyrazić przy Nadii, że nie wie, jak wyrazić przy Nadii tę tajemnicę, z którą łączyła go modlitwa, a przecież wyrażenie tego było tak ważne, chociaż potrafił to wyrazić przy córce kaznodziei, kiedy po raz pierwszy szczerze ze sobą rozmawiali podczas małej ceremonii, na którą przypadkowo trafił po pracy, zorganizowanej dla upamiętnienia jej matki, kobiety pochodzącej z kraju Saeeda, jako że wspólnie modlono się za nią w każdą rocznicę jej śmierci, a jej córka, będąca również córką kaznodziei, poprosiła stojącego obok niej Saeeda: opowiedz mi o kraju mojej mamy, na co Saeed, choć wcale tego nie zamierzał, zaczął mówić o swojej matce i mówił przez długi czas, a córka kaznodziei również mówiła przez długi czas i kiedy skończyli mówić, było już późno w nocy.

SAEED I NADIA BYLI wobec siebie lojalni i choć różnie mogli nazywać łączące ich więzy, każde z nich na swój sposób uważało, że ma obowiązek chronić to drugie, dlatego też żadne nie kwapiło się, by porozmawiać o tym, że oddalają się od siebie, nie chcąc niepotrzebnie wzbudzać strachu przed porzuceniem, chociaż oboje po cichu czuli ten strach, lęk przed przecięciem więzów, przed końcem wspólnie zbudowanego świata, świata współdzielonych doświadczeń, do których nikt inny nie miał dostępu, i ich intymnego języka, który tylko oni znali, i oboje mieli poczucie, że to, co mogą zerwać, jest wyjątkowe i prawdopodobnie nie do zastąpienia. Ale choć przez pierwszych kilka miesięcy w Marin to właśnie częściowo strach sprawiał, że trzymali się razem, silniejsza od strachu była jednak potrzeba pewności, że zanim jedno się wycofa, to drugie będzie w stanie sobie poradzić, więc ostatecznie ich związek zaczął w dużym stopniu przypominać relacje między rodzeństwem, gdzie najsilniejszym elementem jest przyjaźń, a w odróżnieniu od wielu żarliwych uczuć ich namiętność na szczęście stygła powoli i nie zwarzyła się w swoje przeciwieństwo – w gniew, choć i tak sporadycznie bywało. Po latach właśnie z tego oboje byli zadowoleni i oboje też zastanawiali się, czy to oznaczało, że popełnili błąd, że gdyby tylko zaczekali i spokojnie obserwowali, ich związek rozkwitłby ponownie, ich wspomnienia zaś wzbogacały się o niespełnione możliwości, a tak przecież rodzą się nasze największe nostalgie. Od czasu do czasu jednak w ich budzie wzbierała zazdrość i tej rozdwajającej się parze zdarzało się kłócić, przeważnie jednak zostawiali sobie więcej swobody, robili tak już od pewnego czasu, i jeśli nawet pojawiał się w tym smutek i niepokój, czuli też ulgę, i to ulga była silniejsza.

Była też bliskość, koniec związku jest bowiem jak śmierć, a myśl o śmierci, o tymczasowości czasami przypomina nam o tym, co naprawdę wartościowe, i tak też stało się z Saeedem i Nadią, więc mimo że mniej razem mówili i robili, widzieli się lepiej, chociaż nie częściej.

Pewnej nocy jeden z pilnujących ich okręgu malutkich dronów, nie większy od kolibra i stanowiący część całego roju, rozbił się o przezroczystą plastikową klapę, która służyła zarówno za drzwi, jak i okno ich budy, a kiedy Saeed zebrał jego nieruchome i opalizujące szczątki i pokazał je Nadii, uśmiechnęła się i powiedziała, że powinni go pochować, wykopali zatem łopatą dołek dokładnie tam, gdzie dron upadł, na stromym zboczu, a następnie przykryli go ziemią i wyrównali ten grób, po czym Nadia zapytała, czy Saeed zamierza zmówić modlitwę za zmarły automat, a Saeed roześmiał się i powiedział, że być może tak zrobi.

———————

Czasami z przyjemnością siadali pod gołym niebem przed swoją budą, gdzie dobiegały ich wszystkie dźwięki nowej osady, dźwięki niemal świąteczne, odgłosy muzyki, głosów, motocykla i wiatru, i zastanawiali się, jak Marin mogło wyglądać w przeszłości. Powiadano, że było piękne, tyle że w inny sposób, a także puste.

Tego roku zima była taką porą roku, w której jesień przeplatała się z wiosną, czasami zdarzał się nawet dzień lata. Raz było tak ciepło, że nie potrzebowali swetrów, siedząc na dworze i obserwując, jak światło słoneczne spływa ukośnymi snopami przez luki w kłębiących się jasnych chmurach i rozświetla fragmenty San Francisco i Oakland oraz ciemne wody zatoki.

– Co to? – zapytała Saeeda Nadia, wskazując płaski geometryczny kształt.

– Nazywają to Wyspą Skarbów – odpowiedział Saeed.

Uśmiechnęła się.

– Ciekawa nazwa.

– Tak.

– Ta za nią powinna nazywać się Wyspą Skarbów. Jest bardziej tajemnicza.

Saeed skinął głową.

– A ten most, to powinien być Most Skarbów.

Gdzieś w pobliżu, za kolejnym rzędem bud, ktoś gotował coś na otwartym ogniu. Widzieli cienką smugę dymu i wyczuwali jakiś zapach. To nie było mięso. Może słodkie ziemniaki. A może plantany.

Saeed zawahał się, po czym sięgnął po rękę Nadii, nakrywając dłonią jej kłykcie. Zakrzywiła palce, zawijając czubki jego palców wokół swoich. Miała wrażenie, że czuje jego puls. Siedzieli tak przez dłuższy czas.

– Jestem głodna – odezwała się.

– Ja też.

Niewiele brakowało, a ucałowałaby go w kłujący policzek.

– Gdzieś tam na dole jest wszystko, czego tylko można na świecie zapragnąć do jedzenia.

NIEDALEKO NA POŁUDNIE, w mieście Palo Alto, mieszkała staruszka, która całe życie spędziła w tym samym domu. Rodzice przynieśli ją do niego wkrótce po jej narodzinach, tutaj odeszła jej matka, kiedy kobieta była nastolatką, oraz ojciec, kiedy miała dwadzieścia kilka lat, potem dołączył tu do niej mąż, dwoje jej dzieci dorastało w tym domu, po rozwodzie mieszkała tam z nimi samotnie, a potem z drugim mężem, ich ojczymem, następnie dzieci wyjechały na studia i już nie wróciły, jej drugi mąż umarł dwa lata temu, i przez cały ten czas nigdy się nie przeprowadzała, podróżowała, tak, to prawda, ale nigdy się nie przeprowadziła, mimo to wydawało się, że świat się przeprowadził, a ona z trudem rozpoznawała miasto, które rozciągało się za murami jej domu.

Staruszka była obecnie bogatą kobietą, przynajmniej na papierze, jej dom wart był majątek, a dzieci stale zadręczały ją, żeby go sprzedała, mówiąc, że przecież nie potrzebuje całej tej przestrzeni. Ale odpowiedziała im, żeby byli cierpliwi, wszystko będzie należeć do nich, kiedy umrze, a to nastąpi przecież już niebawem, i powiedziała to tonem uprzejmym, żeby te słowa były bardziej kąśliwe i żeby przypomnieć im, jak bardzo powodują nimi pieniądze, pieniądze, które wydawali, choć ich nie mieli, czego ona nigdy nie robiła, zawsze odkładając na czarną godzinę, choćby tylko niewielkie sumy.

Jedna z jej wnuczek wstąpiła na pobliski renomowany uniwersytet, uniwersytet, który na przestrzeni życia staruszki z lokalnego skarbu stał się jednym z najsłynniejszych na świecie. Wnuczka odwiedzała ją często, nawet raz w tygodniu. Spośród potomków staruszki tylko ona to robiła, a staruszka ją uwielbiała, chociaż czasami wnuczka wprawiała ją w zakłopotanie: kiedy na nią patrzyła, wydawało jej się, że widzi, jak ona sama wyglądałaby, gdyby urodziła się w Chinach, bo wnuczka miała rysy staruszki, ale zdaniem staruszki w sumie wyglądała, mniej więcej, ale raczej więcej, jak Chinka.

Do domu staruszki szło się pod górkę i kiedy była jeszcze małą dziewczynką, pchała rower, a potem na niego wsiadała i pędziła w dół bez pedałowania, w tamtych czasach rowery były ciężkie i jazda pod górę wymagała dużego wysiłku, zwłaszcza gdy było się małym, jak wówczas ona, a rower był za duży, jak wówczas ten, który miała. Lubiła sprawdzać, jak daleko dojedzie bez zatrzymywania się, przemykając przez skrzyżowania, gotowa zahamować, choć nie spieszyła się z tym, ponieważ ruch był wtedy o wiele mniejszy, przynajmniej tak to pamiętała.

W porośniętym mchem stawie na tyłach domu zawsze miała karpie, karpie, które jej wnuczka nazywała złotymi rybkami, i w przeszłości staruszka znała nazwiska prawie wszystkich na swojej ulicy, większość sąsiadów mieszkała tam od dawna, stanowili starą Kalifornię, pochodzili z rodzin, które były kalifornijskimi rodzinami, ale z czasem wymieniali się coraz szybciej, więc obecnie nie znała już nikogo i nie widziała też powodu, żeby próbować to zmieniać, bo ludzie kupowali i sprzedawali domy w ten sam sposób, w jaki kupowali i sprzedawali akcje, co roku ktoś się wyprowadzał i ktoś się wprowadzał, a obecnie otwarły się te wszystkie drzwi, nie wiadomo skąd prowadzące, i wokół pojawili się najróżniejsi dziwni ludzie, ludzie, którzy najwyraźniej czuli się tu bardziej jak u siebie w domu niż ona, nawet ci bezdomni, którzy nie mówili po angielsku, bardziej u siebie, może dlatego, że byli młodsi, a kiedy wychodziła z domu, wydawało jej się, że ona też migruje, że wszyscy migrują, nawet jeśli przez całe nasze życie pozostajemy w tych samych domach i nic nie możemy na to poradzić.

Wszyscy jesteśmy migrantami w czasie.

11.

Na całym świecie ludzie odchodzili cichaczem z miejsc, w których dotychczas przebywali, ze spękanych od suchości, a niegdyś żyznych równin, z nadmorskich wiosek z trudem łapiących oddech pod spiętrzonymi falami przypływów, z zatłoczonych miast i morderczych pól bitewnych, i odchodzili też po cichu od innych ludzi, czasami od ludzi, których kiedyś kochali, tak jak Nadia odchodziła po cichu od Saeeda, a Saeed od Nadii.

To Nadia jako pierwsza poruszyła temat swojej wyprowadzki, powiedziała to mimochodem, kiedy ćmiła dżointa, zaciągając się jak najdelikatniej i utrzymując dym w płucach jeszcze w momencie, gdy sens jej słów wypełniał swoją wonią powietrze. Saeed nic nie odpowiedział, tylko sam głęboko się zaciągnął, wstrzymał oddech, a potem dmuchnął dymem w wypuszczony przez nią obłoczek. Rankiem, gdy się obudziła, patrzył na nią, odsuwał włosy z jej twarzy, czego nie robił od miesięcy, i powiedział, że jeśli ktoś ma opuścić ten dom, który razem zbudowali, to nikt inny, tylko on. Ale już mówiąc te słowa, czuł, że udaje, a jeśli nie udaje, to na pewno jest tak zdezorientowany, że nie potrafi ocenić, jak bardzo jest szczery. Rzeczywiście uważał, że z nich dwojga to on powinien odejść, że powinien dokonać zadośćuczynienia za to, że zbliżył się do córki kaznodziei. I dlatego też to nie jego słowa budziły w nim wrażenie, że udaje, a raczej głaskanie włosów Nadii, których, jak sobie w tym momencie uzmysławiał, może już nigdy nie mieć prawa pogłaskać. Również Nadia czuła się jednocześnie pokrzepiona, jak i zakłopotana tą jego fizyczną bliskością, więc powiedziała, nie, jeśli jedno z nich ma odejść, będzie to ona, ale także ona wyczuwała jakiś fałsz w swoich słowach, bo wiedziała, że kwestią nie było jeśli, tylko kiedy, a to kiedy miało nastąpić już wkrótce.

Nie dało się już ukryć, że ich związek się rozpadał, i choć oboje uznali, że lepiej rozstać się teraz, zanim będzie gorzej, dopiero po kilku dniach powrócili do rozmowy na ten temat, tylko że gdy o tym rozmawiali, Nadia pakowała już rzeczy do plecaka i do torby na ramię, więc rozmowa o jej odejściu nie była, jak z pozoru wyglądało, rozmową o jej odejściu, tylko nawigowaniem przy użyciu słów, które nie wyrażały tego wprost, przez ich obawy przed tym, co będzie dalej, a kiedy Saeed upierał się, żeby nieść jej bagaże, ona uparła się, żeby tego nie robił, i nie objęli się też ani nie pocałowali, stali naprzeciw siebie na progu budy, która jeszcze chwilę temu była ich wspólnym domem, i nie uścisnęli sobie dłoni, patrzyli tylko na siebie, jedno na drugie, przez długi, długi czas, żaden gest nie wydawał się stosowny, aż w końcu Nadia odwróciła się w milczeniu i odeszła w dżdżystą mgłę, a jej naturalna twarz była mokra i ożywiona.

Spółdzielnia spożywcza, w której Nadia pracowała, dysponowała pokojami na piętrze, magazynami zlokalizowanymi na zapleczu. W pokojach były łóżka, a cieszący się dobrą opinią w spółdzielni pracownicy mogli z nich korzystać i się tam zatrzymać, w zasadzie na czas nieokreślony, pod warunkiem że koledzy z pracy uznali, że ktoś naprawdę tego potrzebuje, a zainteresowany zaangażował się w dodatkową pracę, która pozwalała pokryć koszty pobytu; i chociaż takie praktyki prawdopodobnie naruszały ten czy inny przepis, nikt już specjalnie nie przestrzegał przepisów, nawet tu, w pobliżu Sausalito.

Nadia wiedziała, że ludzie mieszkali w spółdzielni, choć nie wiedziała, na jakich zasadach, i nikt jej tego nie powiedział. Bo chociaż była kobietą, a spółdzielnią zarządzały głównie kobiety, które stanowiły też większość personelu, wiele osób uważało, że jej czarna burka jest odstręczająca albo świadczy o tym, że sama się separuje, a w każdym razie o jakimś zagrożeniu, i dlatego bardzo mało współpracowników próbowało się z nią zaprzyjaźnić aż do dnia, kiedy obsługiwała kasę, a do środka wszedł wytatuowany mężczyzna o jasnej cerze, który położył pistolet na ladzie i powiedział do Nadii:

– I co, kurwa, na to powiesz?

Nadia nie wiedziała, co ma odpowiedzieć, więc się nie odezwała, nie próbując mierzyć się z nim wzrokiem, ale też nie odwracając oczu. Utkwiła spojrzenie w okolicy jego podbródka i przez chwilę stali w milczeniu, po czym mężczyzna powtórzył swoje słowa, tym razem już nieco mniej pewnym tonem, a następnie, ani nie obrabowując spółdzielni, ani nie strzelając do

Nadii, wyszedł, zabierając broń, przeklinając i po drodze przewracając kopniakiem kosz pełen guzowatych jabłek.

Po tym zdarzeniu kilka osób z jej zmiany zaczęło dużo chętniej z nią rozmawiać – czy to z tego powodu, że byli pod wrażeniem jej niezłomności w obliczu niebezpieczeństwa, czy też dlatego, że zmienili zdanie na temat tego, kto stanowi zagrożenie, a kto jest zagrożony, czy po prostu dlatego, że teraz mieli o czym mówić. Poczuła, że zaczyna odnajdywać się w tym miejscu, a kiedy ktoś powiedział jej o możliwości zamieszkania w spółdzielni i zasugerował, że mogłaby z niej skorzystać, gdyby rodzina ją dręczyła, czy też, jak szybko dodał ktoś inny, jeśli tylko poczuje potrzebę zmiany, ta nowa sposobność była dla Nadii niczym nagłe odkrycie, jakby otwierały się przed nią drzwi, tym razem pod postacią pokoju.

I właśnie do tego pokoju Nadia wprowadziła się po rozstaniu z Saeedem. W pokoju czuło się ziemniaki, tymianek i miętę, a z łóżka unosił się lekki zapach ludzi, ale w sumie było tu dość czysto; nie miała jednak gramofonu ani możliwości odświeżenia pomieszczenia, bo nadal było używane jako magazyn. Mimo to Nadia przypomniała sobie o swoim mieszkaniu w rodzinnym mieście, swoim ukochanym mieszkaniu, przypomniała sobie, jak to jest żyć samotnie, i chociaż pierwszej nocy w ogóle nie spała, a drugiej tylko chwilami udawało jej się zmrużyć oko, w miarę upływających dni spała lepiej i zaczęła czuć się w tym pokoju jak w domu.

W tych czasach zdawało się, że okolice Marin budzą z głębokiego i zbiorowego załamania. Mówi się, że depresja to niemożność wyobrażenia sobie przekonujących i pożądanych perspektyw na przyszłość, ale chociaż, nie tylko w Marin, lecz także w całym regionie, w rejonie zatoki San Francisco oraz w wielu innych miejscach, zarówno leżących blisko, jak i daleko, można było odnieść wrażenie, że nadeszła apokalipsa, która jednak okazała się nieapokaliptyczna, bo chociaż zmiany wydawały się irytujące, nie oznaczały końca świata, a życie toczyło się dalej, ludzie znajdowali sobie zajęcie, znajdowali sposób na życie i towarzyszy wspólnego życia, a przekonujące i pożądane perspektyw na przyszłość, wcześniej niewyobrażalne, zaczęły się pojawiać, obecnie już nie tak niewyobrażalne, doprowadzając w efekcie do czegoś, co w dużym stopniu przypominało ulgę.

Faktycznie, w okolicy wspaniale rozkwitała twórczość, zwłaszcza muzyczna. Niektórzy nazywali to nową epoką jazzu, a chodząc po Marin, można było spotkać wszelkiego rodzaju zespoły, tworzone przez ludzi z ludźmi, ludzi z elektroniką, ciemną skórę z jasną skórą i z lśniącym metalem i matowym plastikiem, skomputeryzowaną muzykę i muzykę akustyczną, a nawet ludzi, którzy nosili maski lub ukrywali się przed wzrokiem innych. Różne odmiany muzyki gromadziły różne ludzkie plemiona, plemiona dopiero co powstałe, jak to zazwyczaj bywa, i właśnie na jednym z takich zgromadzeń Nadia zobaczyła szefową kuchni ze spółdzielni, przystojną kobietę o silnych ramionach, a kiedy ta kobieta zauważyła, że Nadia ją widzi, skinieniem głowy dała znak, że ją rozpoznaje. Ostatecznie znalazły się obok siebie, stały i rozmawiały, choć niewiele i tylko między piosenkami, to kiedy koncert się skończył, nie odeszły, dalej słuchały i rozmawiały podczas kolejnego występu.

Oczy kucharki zdawały się prawie nieludzko niebieskie, choć może po prostu Nadia nigdy wcześniej nie wyobrażała sobie, że taki niebieski – tak blady, jakby te oczy były ślepe, zwłaszcza gdy się w nie patrzyło, kiedy kucharka odwracała wzrok – może być naturalnym kolorem u człowieka. Kiedy jednak patrzyły na ciebie, nie było wątpliwości, że cię widzą, bo kobieta spoglądała z taką mocą, tak uważnie, że jej spojrzenie wręcz fizycznie uderzało człowieka, a Nadia czuła dreszczyk emocji, będąc przez nią obserwowaną i sama ją ze swojej strony obserwując.

Kucharka była, rzecz jasna, ekspertem w zakresie żywności i przez następne tygodnie oraz miesiące wprowadzała Nadię w tajniki przeróżnych dawnych kuchni, a także nowych, właśnie rodzących się kuchni, ponieważ w Marin spotykało się wiele potraw z całego świata i tu były przekształcane, dzięki czemu to miejsce stało się rajem dla smakoszy, a obowiązująca reglamentacja powodowała, że ludzie stale czuli się trochę głodni, w związku z czym byli gotowi delektować się wszystkim, co dostali, Nadia natomiast nigdy wcześniej nie rozkoszowała się smakowaniem, tak jak teraz w towarzystwie kucharki, która przypominała jej trochę kowboja i która kochała się, kiedy się kochały, zawsze z pewną ręką, dobrym okiem i ustami, które niewiele robiły, ale robiły to wyjątkowo dobrze.

Podobnie zbliżyli się do siebie też Saeed i córka kaznodziei i chociaż niektórzy byli temu niechętni, bo przecież przodkowie Saeeda nie doświadczyli niewolnictwa i jego następstw na tym kontynencie, to specyfika religii głoszonej przez kaznodzieję złagodziła tę niechęć, podobnie jak z czasem zadziałało poczucie koleżeństwa, praca wykonywana przez Saeeda wspólnie z innymi wolontariuszami, a także to, że kaznodzieja ożenił się z kobietą pochodzącą z kraju Saeeda oraz że córka kaznodziei była też córką kobiety pochodzącej z kraju Saeeda, więc bliskość tej pary, nawet jeśli w pewnych kręgach wywoływała niepokój, tolerowano, a dla nich samych, dla tej pary, ta bliskość niosła w sobie zarówno iskierkę egzotyki, jak i komfort poufałości, podobnie jak to często bywa, kiedy ludzie zaczynają coś do siebie czuć.

Saeed wypatrywał jej rano, kiedy przyjeżdżał do pracy, a potem rozmawiali i uśmiechali się na boku, ona czasami dotykała jego łokcia, siedzieli razem podczas wspólnego lunchu, a wieczorami, po wypełnieniu codziennych obowiązków, spacerowali po Marin, wędrując po ścieżkach i powstających ulicach, przechodzili też kiedyś obok budy Saeeda, a wówczas on poinformował ją, że tu mieszka, i gdy następnym razem tamtędy przechodzili, zapytała, czy mogłaby zobaczyć wnętrze, weszli więc do środka i zamknęli za sobą plastikowe skrzydło.

Córka kaznodziei dostrzegła w Saeedzie intrygujące ją podejście do wiary, a rozległość jego spojrzenia na wszechświat, to, w jaki sposób mówił o gwiazdach i ludziach na całym świecie, uznała za bardzo pociągającą, podobnie zresztą jak

195

i jego dotyk, podobał jej się kształt jego twarzy, to, że przypominała jej o matce, a w związku z tym o dzieciństwie. Z kolei Saeed zauważył, że niezwykle dobrze mu się z nią rozmawia, i to nie tylko dlatego, że potrafiła słuchać lub ciekawie mówić, co oczywiście robiła, ale ponieważ skłoniła go do tego, że on sam chciał słuchać i mówić, i od samego początku uważał ją za tak atrakcyjną, że niemal nie śmiał na nią patrzeć, a pod pewnymi względami, choć tego jej nie powiedział ani też nie próbował się nad tym zastanawiać, bardzo przypominała mu Nadię.

Córka kaznodziei należała do grupy liderów lokalnego ruchu na rzecz referendum dotyczącego utworzenia regionalnego zgromadzenia w rejonie zatoki San Francisco, którego członkowie mieli być wybierani na zasadzie powszechnego prawa do głosowania, niezależnie od miejsca pochodzenia wyborców. Nie było jeszcze postanowione, jak takie zgromadzenie miałoby współistnieć z innymi, wcześniej powołanymi organami rządowymi. Początkowo ciało to mogłoby ograniczyć się do roli autorytetu moralnego, ale i taka władza byłaby istotna, gdyż w przeciwieństwie do innych podmiotów uważających, że niektórzy ludzie nie są dostatecznie ludzcy, żeby korzystać z prawa wyborczego, to nowe zgromadzenie wyrażałoby wolę wszystkich ludzi, a w obliczu tej woli, jak się spodziewano, odmawianie dostępu do powszechniejszej sprawiedliwości nie będzie już takie łatwe.

Pewnego dnia pokazała Saeedowi małe urządzenie, które skojarzyło mu się z naparstkiem. Była uszczęśliwiona i kiedy ją zapytał, dlaczego tak się cieszy, odparła, że to może być klucz do zorganizowania referendum, bo umożliwia odróżnienie jednej osoby od drugiej i pozwoli zagwarantować, że każdy zagłosuje tylko raz, a ponadto urządzenie produkowano w ogromnych ilościach, dosłownie za bezcen, a on, trzymając je na dłoni, ze zdziwieniem odkrył, że jest lekkie jak piórko.

KIEDY NADIA WYPROWADZIŁA SIĘ z ich budy, nie odzywali się do siebie ani przez resztę dnia, ani w dniu następnym. Była to najdłuższa przerwa w kontaktach między nimi, odkąd opuścili rodzinne miasto. Wieczorem drugiego dnia po rozstaniu Saeed zadzwonił do niej, żeby zapytać, jak się ma, dowiedzieć się, czy jest bezpieczna, a także żeby usłyszeć jej głos, a kiedy usłyszał jej głos, znajomy, ale też obcy, podczas rozmowy zapragnął ją zobaczyć, stłumił jednak to pragnienie i się rozłączyli, nie umawiając się na spotkanie. Zadzwoniła do niego następnego wieczoru, znowu krótko rozmawiali, a potem wysyłali sobie wiadomości lub rozmawiali ze sobą prawie codziennie, i chociaż pierwszy weekend tej separacji spędzili osobno, w drugi weekend umówili się na przechadzkę nad oceanem, spacerowali przy dźwiękach wiatru, rozbijających się fal i pośród syczenia rozbryzgów wody.

W kolejny weekend ponownie spotkali się na spacer, a także w następny, jednak te spotkania przepełniał jakiś smutek, bo tęsknili za sobą, byli samotni i nieco zagubieni w tym nowym miejscu. Czasami po spotkaniu Nadię ogarniała jakaś wewnętrzna szarpanina, a czasami coś podobnego czuł Saeed, i oboje byli blisko wykonania jakiegoś gestu, który ponownie związałby ich ze sobą, ale ostatecznie się przed tym powstrzymali.

Skończyli z rytuałem cotygodniowych spacerów, jak to zazwyczaj bywa z takimi kontaktami, przez coraz częstszy brak czasu, w przypadku Nadii ze względu na kucharkę, w przypadku Saeeda ze względu na córkę kaznodziei, ze względu na nowych znajomych. I chociaż pierwszy weekend, kiedy nie poszli na wspólny spacer, oboje odnotowali bardzo wyraźnie, to drugi już nie tak bardzo, a trzeci prawie w ogóle, wkrótce spotykali się mniej więcej raz w miesiącu, a między kolejnymi wiadomościami lub rozmowami telefonicznymi mijało kilka dni.

Utrzymywali te luźne kontakty, gdy zima ustępowała miejsca wiośnie – choć pory roku w Marin czasami wydawały się trwać tylko małą część dnia, potrafiły zmieniać się w tym krótkim czasie, kiedy ktoś zdejmował kurtkę lub zakładał sweter – i nadal je utrzymywali, kiedy ciepła wiosna zmieniała się w chłodne lato. Ani Nadii, ani Saeedowi nie sprawiało przyjemności, gdy napotykali w Internecie nieoczekiwane obrazki z nowego życia niegdyś ukochanej osoby, więc odsunęli się od siebie w mediach społecznościowych, i chociaż zamierzali troszczyć się o siebie nawzajem, chcieli mieć się nawzajem na oku, pozostawanie w kontakcie dawało się im we znaki, niepokojąco przypominając im o życiu nieprzeżytym, a jednocześnie przestali już tak bardzo martwić się o siebie nawzajem, już się tak nie martwili, że ta druga osoba potrzebuje ich do szczęścia, w końcu minął miesiąc bez żadnego kontaktu, a potem rok, a potem całe życie.

Pod Marrakeszem, w miejscu na wzgórzach, z widokiem na okazały dom należący do mężczyzny, który kiedyś mógł być nazywany księciem, i kobiety, która kiedyś mogła być nazywana cudzoziemką, w opustoszałej wiosce żyła pokojówka niemowa; być może z tego powodu nie wyobrażała sobie, że mogłaby opuścić to miejsce. Pracowała w tym wielkim domu poniżej, w domu, w którym było mniej pracowników niż w roku ubiegłym, i jeszcze mniej niż rok wcześniej, zatrudnieni tu służący jeden po drugim uciekali lub się przenosili, ale nie dotyczyło to pokojówki, która każdego ranka jeździła do pracy autobusem i która żyła dzięki swemu wynagrodzeniu.

Pokojówka nie była stara, ale jej mąż i córka już od niej odeszli, mąż wkrótce po ich ślubie, do Europy, z której nie wrócił i z której w końcu przestał przysyłać pieniądze. Jej matka twierdziła, że to dlatego, że pokojówka nie potrafiła mówić i że pozwoliła mu posmakować przyjemności cielesnych, nieznanych mu przed ślubem, a więc uzbroiła go jako mężczyznę i została przez naturę rozbrojona jako kobieta. Ale jej matka była osobą surową, a pokojówka nie uważała tej wymiany za taką złą, bo mąż dał jej córkę, a córka towarzyszyła jej w podróży przez życie, i chociaż córka też przeszła przez drzwi, odwiedzała matkę i przy każdej wizycie prosiła ją, żeby poszła z nią, ale pokojówka odmawiała, bo dostrzegała, jak wszystko jest kruche, i czuła, że jest małą rośliną na małym skrawku gleby zagnieżdżonej między skałami w suchym i wietrznym miejscu, świat jej nie potrzebował, a tu przynajmniej znano ją i tolerowano i to było dla niej prawdziwym błogosławieństwem.

Pokojówka była w takim wieku, że mężczyźni przestali ją zauważać. Miała ciało kobiety już jako dziewczyna, kiedy wydano ją tak młodo za mąż, a potem, po urodzeniu i wykarmieniu dziecka, jej ciało dalej dojrzewało i w przeszłości mężczyźni zatrzymywali się, żeby spojrzeć na nią, nie na jej twarz, ale na figurę, te ich spojrzenia często ją niepokoiły, częściowo ze względu na kryjące się w nich niebezpieczeństwo, a częściowo dlatego, że wiedziała, jak szybko się zmieniały, kiedy okazywało się, że jest niemową, więc ze sporą ulgą powitała chwilę, kiedy już jej nie zauważali. Sporą, prawie całkowitą, a jednak nie całkowitą, ponieważ życie nie pozwalało pokojówce na luksusy próżności, a przecież, mimo wszystko, była człowiekiem.

Pokojówka nie wiedziała, ile ma lat, ale wiedziała, że jest młodsza od pani domu, w którym pracowała; ta kobieta miała nadal kruczoczarne włosy i wyprostowaną postawę, a jej suknie nadal były skrojone tak, żeby urzekać. Pani jakby w ogóle się nie zestarzała w ciągu tych wielu lat, kiedy pokojówka u niej pracowała. Z daleka można ją było wziąć za bardzo młodą kobietę, pokojówka natomiast sprawiała wrażenie, jakby podwójnie się zestarzała, być może za nie obie, jakby jej zajęcie polegało na starzeniu się, na wymianie magii miesięcy na banknoty i jedzenie.

Tego lata, kiedy drogi życiowe Saeeda i Nadii się rozchodziły, córka przybyła odwiedzić pokojówkę w tej niemal zupełnie już opustoszałej wiosce; wypiły kawę pod wieczornym niebem i patrzyły na wzbijający się na południu czerwieniący pył, a córka ponownie poprosiła matkę, żeby z nią stąd odeszła. Pokojówka spojrzała na córkę, która jej zdaniem wyglądała, jakby odziedziczyła wszystko, co najlepsze w niej samej i w jej mężu – patrząc bowiem na nią, widziała jej ojca – a także w jej matce, której głos dobywał się z ust jej córki, silny i niski, ale tylko głos, bo słowa córki były zupełnie odmienne od słów wypowiadanych w przeszłości przez jej matkę, były lotne, zgrabne i nowe. Pokojówka położyła dłoń na ręce córki, uniosła tę rękę do warg i pocałowała, skóra warg na chwilę przywarła do skóry jej dziecka, nie odrywała się, nawet gdy zaczęła opuszczać rękę córki, wargi potrafiły się w ten sposób odkształcać, i na koniec pokojówka uśmiechnęła się i pokręciła głową.

Pewnego dnia będzie mogła odejść, pomyślała.

Ale nie dzisiaj.

12.

Pół wieku później Nadia po raz pierwszy powróciła do rodzinnego miasta, gdzie pożary, których była świadkiem w młodości, dopaliły się już dawno temu, jako że życie miast jest dużo bardziej nieustępliwe i przebiega w łagodniejszych cyklach niż życie ludzi, i choć miasto nie było teraz niebem, ale nie było też piekłem, wydawało się jej trochę znajome, ale jednocześnie trochę nieznajome, a kiedy wędrowała po nim powoli, rozglądając się dookoła, dowiedziała się, że niedaleko jest też Saeed, i przez dłuższy czas nie mogła ruszyć się z miejsca, po czym skontaktowała się z nim i umówili się na spotkanie.

Spotkali się w kawiarni w pobliżu jej dawnego domu, który wciąż stał tam jak przed laty, chociaż zmieniła się większość pobliskich budynków, usiedli pod gołym niebem przy dwóch stykających się bokach małego kwadratowego stolika i patrzyli na siebie, ich spojrzenia wyrażały życzliwe współczucie, ponieważ czas zrobił swoje, ale też widać było, że rozpoznają się w wyjątkowy sposób, i obserwowali mijających ich młodych ludzi, mieszkańców tego miasta, młodych, którzy nie mieli pojęcia, jak bardzo źle tu kiedyś było, wiedzieli jedynie tyle, ile nauczyli się z historii, ale może tak powinno być, i tak siedząc, popijali kawę i rozmawiali.

Ich rozmowa wiodła przez dwa życiorysy, z podkreślanymi i usuwanymi ważnymi szczegółami, i była też tańcem, ponieważ kiedyś się kochali i nie zranili się na tyle głęboko, żeby nie móc znaleźć wspólnego rytmu, a w miarę jak ubywało kawy w ich filiżankach, młodnieli i stawali się bardziej skłonni do żartów, a pewnym momencie Nadia powiedziała: wyobraź sobie, jak inaczej wyglądałoby życie, gdybym zgodziła się za ciebie wyjść, na co Saeed odparł: wyobraź sobie, jak inaczej wyglądałoby życie, gdybym zgodził się z tobą kochać, i wówczas Nadia zauważyła: uprawialiśmy ze sobą seks, a Saeed zastanowił się, uśmiechnął i powiedział: tak, chyba tak.

Ponad nimi na ciemniejącym niebie przelatywały jasne satelity, ostatnie jastrzębie powracały na odpoczynek do gniazd, a mijający Nadię i Saeeda przechodnie nie zatrzymywali się, żeby spojrzeć na tę staruszkę w czarnej burce czy tego starego mężczyznę z kilkudniowym zarostem.

Dokończyli kawę. Nadia zapytała, czy Saeed był na chilijskich pustyniach, czy widział gwiazdy i czy wszystko wyglądało tak, jak to sobie wyobrażał. Skinął głową i powiedział, że jeśli będzie miała wolny wieczór, z chęcią ją tam zabierze, bo warto w życiu coś takiego zobaczyć, na co ona zamknęła oczy i odpowiedziała, że bardzo by tego chciała, a potem wstali, objęli się i rozstali, nie wiedząc wówczas, czy taki wieczór kiedykolwiek nadejdzie.